El misterio
de la Curva del Muerto

Laura E. Williams

SCHOLASTIC INC.

New York Toronto London Auckland Sydney
Mexico City New Delhi Hong Kong Buenos Aires

*Este libro está dedicado a todos
los estudiantes de la Sra. Henneberry,
pasados, presentes y futuros*

Originally published in English as *Mystic Lighthouse Mysteries: The Mystery of Dead Man's Curve*

Translated by José Ramón Ibañez.

ISBN 0-439-64999-4

12 11 10 9 8 7 6 5 4 3   4 5 6 7 8 9/0

Printed in the U.S.A.   40

First Spanish printing, September 2004

Contenido

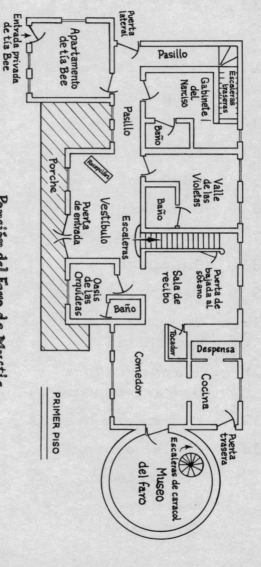

Pensión del Faro de Mystic

PRIMER PISO

Labels within the floor plan:

Entrada privada de tía Bee

Puerta lateral

Apartamento de tía Bee

Pasillo

Pasillo

Gabinete del Narciso

Baño

Escaleras traseras

Porche

Recepción

Vestíbulo

Puerta de entrada

Escaleras

Valle de las Violetas

Baño

Puerta de bajada al sótano

Sala de recibo

Oasis de las Orquídeas

Baño

Tocador

Despensa

Cocina

Comedor

Puerta trasera

Escaleras de caracol

Museo del faro

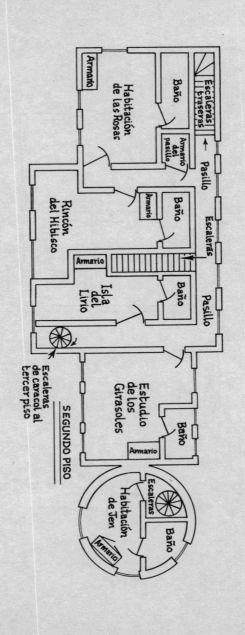

SEGUNDO PISO

Escaleras traseras

Armario

Baño

Habitación de las Rosas

Escaleras ← Pasillo

Armario del pasillo

Rincón del Hibisco

Armario

Baño

Escaleras

Armario

Isla del Lirio

Baño

Pasillo

Escaleras de caracol al tercer piso

Estudio de los Girasoles

Baño

Armario

Escaleras

Habitación de Jen

Baño

Armario

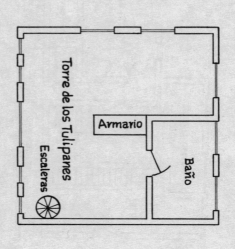

Torre de los Tulipanes

Armario

Escaleras

Baño

TERCER PISO

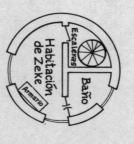

Escaleras

Habitación de Zeke

Armario

Baño

Nota al lector

Bienvenido a *El misterio de la Curva del Muerto* donde TÚ puedes resolver el misterio. A medida que vayas leyendo, busca las pistas que apuntan al culpable. Al final del libro, hay fichas en blanco. Las puedes fotocopiar para anotar los datos de los sospechosos y las pistas que vayas encontrando a lo largo de la historia. Estas son las hojas que Jen y Zeke usarán más adelante cuando intenten resolver el misterio. ¿Crees que eres capaz de resolver *El misterio de la Curva del Muerto* antes que ellos?

¡Suerte!

1
Intento de asesinato

—Llegarán aquí en cualquier momento —dijo tía Bee en voz alta, estirando su falda vaporosa para que estuviera recta. Echó un vistazo al vestíbulo para asegurarse de que todo estuviera en su lugar y tocó nerviosamente las flores que estaban en el mostrador de la entrada.

Jen miró a su hermano gemelo Zeke y ambos sonrieron. Aunque hacía dos años que la Pensión del Faro de Mystic estaba abierta, tía Bee todavía se ponía nerviosa cuando llegaban nuevos huéspedes.

—No te preocupes —le dijo Jen jalando la larga trenza gris de su tía—, Zeke y yo hemos limpiado todas las habitaciones que se van a utilizar, hemos puesto rollos de papel nuevos en los baños e, incluso, hemos limpiado las ventanas. Todo está listo.

Bee movió por tercera vez el libro de registro para que quedara recto sobre el mostrador.

—¿Han cambiado las sábanas?

—¡Oh, no, nos hemos olvidado de las camas! —dijo Jen toda asustada.

—¡Las camas! ¿Cómo van a dormir esta noche nuestros huéspedes? —dijo Zeke, tratando de reprimir una sonrisa.

Tía Bee frunció el ceño y arremetió contra sus sobrinos de manera juguetona. Jen se rió y evadió ágilmente el ataque de tía Bee, pero Zeke no fue tan rápido. Su tía lo pescó y le dio un abrazo de oso y un gran beso en la mejilla antes de soltarlo.

Zeke se limpió la mejilla fingiendo asco. Siempre le había parecido gracioso que su tía se pusiera nerviosa cuando llegaban huéspedes. Después de todo, ella había administrado la pensión desde que se abrió aunque, desde luego, con la ayuda de los gemelos. Hacía nueve años que Jen y Zeke se habían ido a vivir con su tía Bee y su tío Cliff tras la muerte de sus padres, cuando apenas tenían dos años. Su tío Cliff había fallecido justo antes de que la pensión celebrara su solemne apertura. Y tía Bee era el único miembro de la familia que les quedaba. Aunque la llamaban tía Bee, era algo más que una madre para ellos; o una abuela porque, en realidad, era la hermana de su abuela Estelle.

Slinky, la gata de Maine que tenían, saltó desde un armario alto y sacudió su cola suave y sedosa. Con un prolongado "miau" se subió sobre Woofer, el viejo pastor inglés que dormía, como era habitual. Woofer abrió perezosamente un ojo para luego cerrarlo rápidamente. Estaba acostumbrado a que Slinky caminara sobre él y, obviamente, no le gustaba interrumpir su siesta para quitársela de encima. Tía Bee y los gemelos se echaron a reír.

—Como ustedes saben —les dijo tía Bee volviendo rápidamente a sus asuntos—, los cinco huéspedes que van a estar con nosotros esta semana son candidatos para el puesto de director de la Escuela Secundaria de Mystic, por lo que espero que ustedes dos sepan comportarse.

—¿Acaso no lo hacemos siempre? —preguntó Jen con una sonrisa pícara.

—La mayoría de las veces —admitió tía Bee—, pero no siempre. Además, ¿no quieren causarle una buena impresión a su nuevo director?

—Supongo que sí —dijo Jen.

—Por supuesto —dijo Zeke.

—Bien. Ahora barramos un poco más por aquí —dijo tía Bee con una sonrisa.

Zeke miró el piso de madera brillante y pensó que no vendría mal barrer los rincones del vestíbulo.

—Voy por la escoba —se ofreció.

—No me parece que esté sucio. Lo limpié ayer —dijo Jen mientras pasaba revista al suelo.

Tía Bee estaba arreglando las cortinas.

—No te vas a morir si le pasas la escoba.

—Pues, quizás —dijo Jen gruñendo.

—A veces me cuesta creer que tú y Zeke sean hermanos gemelos —dijo tía Bee riéndose—. Parecen iguales, con sus ojos azules y su pelo negro ondulado, pero ¿por qué es él tan ordenado y tú no?

—Es un minuto mayor que yo —dijo Jen con una sonrisa burlona—. Por eso es más responsable.

Zeke regresó de la cocina con la escoba y el recogedor y comenzó a barrer los rincones de la habitación. Jen no veía ni una mota de polvo, pero Zeke siguió barriendo como si hubiera montañas de suciedad. Se agachó, metió la escoba debajo del armario y sacó una bola de pelo de gato.

—Qué bien limpiaste el piso ayer —dijo Zeke burlándose de su hermana y un destello iluminó sus ojos azules.

Jen se encogió de hombros.

—¡Uy! —se acercó a la pelusa—. ¡Oye! ¿Qué es eso?—. Cautelosamente jaló un hilo que sobresalía por debajo del armario como si fuera una serpiente y su yoyo de color verde neón salió rodando. —¡Vaya, ha-

cía ya varias semanas que no lo veía! —exclamó—.
¿Cómo llegó hasta ahí abajo?

—Ha sido la pilla de Slinky —dijo tía Bee desde el
otro lado del vestíbulo, acomodando los cojines floreados en cada una de las sillas—. Se roba todo lo que cae
en sus garras.

Jen quitó el polvo y el pelo del yoyo con la camiseta de Mystic, que llevaba puesta.

Tía Bee la miró arqueando una ceja:

—Esa camiseta estaba bien limpia —le dijo— antes de que tú la usaras como trapo para sacudir.

Jen miró hacia el suelo. En efecto, parecía que a
ella misma la hubieran sacado con su yoyo de debajo
del armario.

Mientras Zeke empujaba el montón de pelo en el
recogedor y se dirigía a la cocina, Jen cruzó el comedor
a toda velocidad para entrar en la torre del faro. Tía
Bee y tío Cliff habían remodelado el edificio circular
para que tanto ella como Zeke pudieran tener su propia habitación en la torre. La de Jen estaba en el primer piso y la de Zeke en el segundo. Ambas eran
curvas en un lado con una vista espectacular sobre el
Océano Atlántico y la bahía que había al sur.

Jen atravesó como una exhalación el Museo de
Objetos de Interés del Faro que ella y Zeke habían armado en la planta baja de la torre, subió corriendo el

primer tramo de las escaleras circulares hasta llegar a su habitación y abrió de golpe la puerta de su habitación. Los hermanos habían ayudado a tía Bee a decorar todas las habitaciones con temas florales, pero Jen había decorado la suya y, en vez de papel con flores, había cubierto las paredes de su habitación con pósters de todos los deportes imaginables. Su póster favorito era el de dos hombres enormes que parecían luchadores de sumo practicando el tiro de disco. En cambio, la habitación de Zeke parecía un escenario de *Star Wars*.

Jen recobró el aliento y se puso una camiseta limpia. Echó la camiseta polvorienta sobre una pila de ropa sucia que había en su ropero. Mientras cerraba de un empujón las puertas de su armario, decidió llevarla más tarde a la lavandería del sótano y se lanzó escaleras abajo.

Zeke estaba ayudando a tía Bee a doblar nuevamente uno de los edredones que ella hacía y dejaba sobre los respaldos de las sillas y los sillones de toda la pensión. De repente, Zeke se detuvo y levantó la cabeza.

—Alguien viene.

Jen no había oído nada, pero fue corriendo a la puerta de entrada y la abrió de par en par. Entró un aire fresco y salado, junto con el sonido del Océano Atlántico que rompía sus olas contra la playa rocosa, justo debajo del acantilado. Hacía bastante calor para Maine en esta época del año, pero ella no se quejaba.

En efecto, un pequeño auto verde se detuvo en la rampa circular. Una mujer muy alta, de cabello pelirrojo salió del auto. Tenía una expresión de disgusto en su cara ancha y llena de pecas.

Zeke bajó corriendo las escaleras para ayudarla con su equipaje, pero la mujer ya había sacado su maleta del maletero del auto y lo cerró de golpe antes de que Zeke llegara.

—Yo se la llevo —se ofreció él.

—¡Oh, gracias! —dijo la mujer, y le entregó la maleta con una mano temblorosa—. Soy la Sra. Adams—. Se metió en el auto y sacó su bolso, su cepillo de dientes sin estrenar y un tubo de pasta dentífrica.

Tía Bee se acercó:

—Soy Beatrice Dale, pero llámeme Bee, por favor. Entre y descanse. ¿Viene de lejos?

Jen se apartó de en medio ya que todos iban en dirección al vestíbulo. Vio cómo Zeke luchaba con la maleta y sonrió porque sabía exactamente lo que Zeke estaba pensando: "¡La próxima vez serás tú quien lleve la maleta!". No era raro que sus pensamientos se entremezclaran. A menudo los dos se encontraban pensando la misma cosa. Era como *escuchar* los pensamientos del otro.

Zeke y Jen alcanzaron a su tía y a la Sra. Adams cuando estas llegaban al mostrador de recepción. Llegaron justo a tiempo para oír decir a la Sra. Adams:

—Y entonces sucedió.

—¿Qué es lo que sucedió? —le preguntó tía Bee mientras escribía el nombre de la Sra. Adams en el registro.

—¡Alguien trató de matarme!

2
Completamente
serio

—¡Oh! —exclamó Jen justo cuando Zeke preguntaba:

—¿Cómo?

—Mírenme las manos. Todavía me tiemblan.

Los tres miraron y, en efecto, le temblaban las manos.

—Le prepararé un té —dijo tía Bee, llevando a la Sra. Adams a una silla, y luego fue a la cocina para calentar agua.

—¿Cómo sucedió? —preguntó Zeke.

—Hay una curva horrible en la carretera junto a la costa, justo antes de llegar aquí.

—Se llama la Curva del Muerto —interrumpió Jen.

La mujer se estremeció mientras Zeke fulminaba a su hermana con la mirada. Obviamente, la Sra. Adams

ya estaba lo suficientemente alterada para que Jen aña-
diera eso. Y es que a veces Jen abría la boca sin pensar.

—Entonces, ¿qué sucedió? —preguntó Zeke, dándole un leve codazo.

—Bien, justo antes de esa curva hay un pequeño
mercado llamado Parada Rápida o algo así —dijo la
Sra. Adams y respiró profundamente para tranquili-
zarse—. Tenía que parar ahí para comprar algunas
cosas que había olvidado —dijo señalando la pasta
dentífrica y el cepillo de dientes que todavía estaban
sobre el mostrador de recepción, donde ella los había
dejado. Salí con mucho cuidado del estacionamiento,
pero en cuanto llegué a la primera parte de la curva
peligrosa, un auto rojo y brillante, me golpeó por detrás. Me salí de la carretera hasta llegar al borde. Por
poco destrozo la barrera de protección y me precipito
por el acantilado para estrellarme contra las afiladas
rocas.

—¡Qué horror! —exclamó tía Bee que regresaba
con una taza de té con sabor a canela—. ¿Se ha hecho
daño?

—No, menos mal —dijo la Sra. Adams mientras
sujetaba agradecida la humeante taza—. Pero la luz
trasera de mi auto está rota.

—Estoy segura de que sólo fue un accidente —dijo
tía Bee.

—Entonces, ¿por qué no se detuvo el otro conductor? —preguntó la Sra. Adams, sacudiendo su cabellera roja de un lado a otro—. No, ese conductor quería golpearme y matarme. De eso estoy segura.

»Afortunadamente, pude volver a la carretera y llegar hasta aquí —dijo la Sra. Adams tomando un sorbo de té—. Y, para colmo, me corté el dedo, probablemente al salir del auto para revisar la luz trasera—. Y mostró el dedo índice de su mano derecha envuelto en un pañuelo desechable.

A una señal de su tía, Jen fue corriendo al tocador, que estaba junto al salón, para traerle un vendaje.

—Debería dar parte a la policía —le sugirió tía Bee, estirando la mano para agarrar el teléfono que estaba a un lado del mostrador de la recepción.

—Oh, no —dijo la Sra. Adams protestando—. No quiero hacer eso.

—Pero si lo hace —dijo Zeke—, la policía podría averiguar quién la golpeó.

—Pudieron haberla matado —añadió Jen, entregándole el vendaje a la Sra. Adams, y se encogió de hombros ante la mirada fulminante de su tía y de su hermano.

—No, no —dijo la Sra. Adams—. No quiero comenzar en esta ciudad con una queja a la policía, sobre todo si soy lo suficientemente competente como para conseguir el trabajo—. Se enderezó un poco y dijo sonriendo: —Intentaremos olvidar este pequeño incidente. Todo saldrá bien—. Pero Zeke notó que le temblaban los labios. Era obvio que la Sra. Adams todavía estaba alterada, pero había que reconocer que había sido valiente.

—Si está segura de ello... —dijo tía Bee dudando—, pero avíseme si cambia de opinión.

Después de eso, Zeke llevó la maleta por el pasillo a la habitación de la planta baja, seguido por la Sra. Adams.

—Usted va a estar en el Gabinete del Narciso —le dijo.

—¿Qué significa eso? —preguntó, pero en cuanto Zeke abrió la puerta de su habitación, la Sra. Adams dejó escapar un suspiro de agradecimiento.

Zeke sonrió. Los huéspedes siempre quedaban impresionados por las habitaciones. Cada una de ellas estaba decorada con un tema floral diferente. Zeke pensaba que la decoración era un poquito abrumante, pero a tía Bee le encantaban las flores y quería que los demás también las disfrutaran.

—Me encantan los narcisos —dijo la Sra. Adams efusivamente mientras inspeccionaba la habitación—. ¡Y miren ese maravilloso móvil!

Zeke le echó una mirada al móvil de narcisos colgantes de cerámica.

—En una de las tiendas de la ciudad venden móviles de todo tipo, desde flores hasta ballenas —le explicó—. Tiene que ir a echar un vistazo.

—Por supuesto que sí. Muchísimas gracias por tu ayuda —dijo la Sra. Adams sonriendo y metió la mano en su bolso.

Zeke regresó al vestíbulo para decirles a tía Bee y a Jen que la Sra. Adams iba a acostarse y relajarse un poco antes de la comida. Entonces le mostró un billete de un dólar a Jen, mientras tía Bee se llevaba la jarra vacía a la cocina.

Jen le frunció el ceño. Siempre competían para ver quién conseguía más propinas. Zeke se metió el billete en el bolsillo.

—¿Crees que golpearon el auto de la Sra. Adams por casualidad?

—¿Por qué iba alguien a sacarla intencionalmente de la carretera? —preguntó Jen.

En vez de contestar, Zeke señaló con el dedo y dijo:

—Mira, la Sra. Adams se ha olvidado de su cepillo y su pasta dentífrica. Mejor se los llevo.

—Yo lo hago —Jen se ofreció a hacerlo, pero Zeke ya había agarrado las dos cosas.

—Olvídalo —dijo Zeke con una sonrisa burlona—. No te va a dar una propina simplemente por llevar estas cosas.

Cuando Zeke bajaba por el pasillo, le dijo por encima del hombro:

—Por lo menos, en la tienda, deberían haberle dado una bolsa para esto.

—Es mejor para el medio ambiente no utilizar bolsas —le dijo Jen, pero Zeke estaba ya demasiado lejos para oírla.

Cuando Jen se dio la vuelta, la puerta de la calle se abrió de golpe y un hombre grande con barba, entró pisando fuerte. Jen se apresuró para ayudarlo con su maleta, pero él no quiso soltarla.

—¡Hola! —dijo en tono cordial—. Soy el Dr. Bowles.

Jen trató por segunda vez de agarrar la maleta, pero él la puso fuera de su alcance.

—Yo me ocupo de esto —dijo. Aunque el Dr. Bowles sonreía cuando hablaba, Jen notó que estaba muy serio. Un escalofrío le recorrió la espalda.

—Vaya, qué raro —dijo el Dr. Bowles cuando caminaba hacia el mostrador de la recepción. Tía Bee se apresuraba a colocarse detrás del mismo—. Sé que llevaba mi billetera cuando salí—. Se dio varias palmaditas en los bolsillos de su chaqueta y dijo negando con la cabeza—: Desde que mi esposa falleció hace cinco años, lo único que hago es perder cosas. Solía decirme que si no fuera por ella, olvidaría ponerme la cabeza en su sitio —dijo soltando una carcajada—. Al menos hoy no me he olvidado la cabeza.

Jen le echó una mirada a Zeke, que regresaba de hacer su entrega. "Vaya qué chistoso", pensaron los dos y empezaron a reírse. Y es que era difícil no hacerlo porque el Dr. Bowles se reía más fuerte que un Santa Claus. Y, de hecho, se le parecía un poquito con su gran barriga y su espesa barba entrecana. Pero incluso mientras se reía, Jen no pudo olvidar la mirada que le lanzó cuando ella intentó llevar su maleta. "Este tipo tiene algo raro", pensó.

Justo entonces, otras dos personas entraron en la pensión. Una era un hombre delgado, de hombros ligeramente encorvados y pelo castaño ralo. Se presentó como el Sr. Crane. Llevaba un maletín muy desgastado que agarraba firmemente con una mano que más bien parecía una garra. La otra persona era una señora que dijo ser la Sra. Hartlet, vestía un traje azul marino y sonreía tímidamente. Su pelo castaño oscuro estaba recogido en un moño ceñido en la nuca.

—He oído hablar de usted —le dijo el Dr. Bowles al Sr. Crane—. Usted es el director de la Escuela Secundaria Kennedy de Lake Cove, Michigan. He leído todo acerca de sus programas que han ganado premios. Está haciendo un magnífico trabajo.

Zeke no podía creer que el hombre delgado ni siquiera le dijera gracias. Simplemente les frunció el ceño a todos y meneó la cabeza, como si no le gustaran los cumplidos. Zeke vio que su hermana estaba a punto de decir algo, pero saltó antes de que pudiera meter la pata.

—¿Quiere que le enseñe su habitación, Sr. Crane? —le preguntó Zeke—. Usted va a estar en la primera planta, en el Rincón del Hibisco.

—Bien —dijo el hombre restregándose la nariz larga y puntiaguda.

Se marcharon y, minutos más tarde, Jen condujo arriba a la Sra. Hartlet, a la Habitación de las Rosas, mientras tía Bee le señalaba al Sr. Bowles con el dedo la Habitación del Valle de las Violetas, justo al lado del vestíbulo.

—Oh, es preciosa —dijo la Sra. Hartlet cuando Jen le abrió la puerta—. ¡Qué bonita y acogedora! Estoy segura de que voy a estar muy cómoda—. Y le entregó a Jen un billete de un dólar nuevecito.

Jen hizo un gesto de agradecimiento. Cuando bajaba por las escaleras, casi chocó con su hermano. Le enseñó su propina, agitándosela delante de la nariz.

—Vaya, el Sr. Crane nunca sonríe —dijo Zeke refunfuñando—. Me parece que no está muy contento aquí —le mostró una moneda de 25 centavos—. Y tampoco da buenas propinas.

—¿Jen? ¿Zeke? —tía Bee los llamó desde el mostrador de la recepción.

Los hermanos fueron rápidamente. En el vestíbulo vieron a un joven que llevaba sudadera y zapatos deportivos y estaba rodeado de un montón de equipaje. Jen gimió para sus adentros y sintió las mismas vibraciones de su hermano. ¡Había tanto que cargar! ¡Ufff! Ninguna propina sería suficiente.

—El Sr. Mitchell va a estar en el Oasis de las Orquídeas —dijo tía Bee para alivio de Jen y Zeke.

Mientras los gemelos arrastraban sus maletas a la habitación más cercana al vestíbulo de entrada, el Sr. Mitchell los dirigía:

—¡Cuidado con esa maleta! —le dijo a Jen que estuvo a punto de romperse la espalda tratando de levantar una de las maletas—. Es muy importante.

Zeke tomó una maleta grande que resultó ser bastante ligera. No podía imaginarse qué había adentro y pensó que no era correcto preguntar.

Cuando finalmente arrastraron la última maleta hasta la habitación, el Sr. Mitchell cerró la puerta sin siquiera dar las gracias. Los gemelos cayeron desplomados sobre unas sillas.

—Me alegro de que esta semana no estén reservadas todas las habitaciones de la pensión. Me parece que vamos a estar ocupados todo el tiempo. Me pregunto qué contendrán las maletas del Sr. Mitchell —dijo Zeke.

—No lo sé —dijo Jen—, pero me parece raro llevar tanto equipaje solamente para cinco días.

—¡Oye! Hemos tenido a gente más rara de la que ahora está aquí.

—¡Por supuesto! —dijo Jen echándose a reír—. ¿Recuerdas a la señora que trajo todas las fotos de sus gatos y que insistía en enseñárselas a todo el mundo?

—Una y otra vez —dijo Zeke, acabando la frase por ella.

Los dos se rieron al acordarse y Zeke se dirigió a su habitación.

—Voy a probar mi nuevo videojuego, el de los tipos con la tabla de *snowboard*. ¿Quieres probarlo?

—No, gracias —dijo Jen frotándose la nariz—. Ese juego me vuelve loca. Es demasiado realista. De todas formas, le he dicho a Stacey que la iba a llamar. Vamos a jugar un rato a la pelota.

—Que no te pegue en la cara —le dijo Zeke por encima del hombro cuando ella se iba.

—No te caigas de la montaña —le respondió Jen.

Jen y Zeke no volvieron a ver a ninguno de los candidatos hasta la hora de la cena. Tía Bee servía la cena al estilo de una familia, todos se sentaban a ambos lados de la larga mesa del comedor. Servía el desayuno todos los días, pero en ocasiones especiales también servía la cena. Esta noche había preparado sus famosos espaguetis con salsa de carne y una ensalada César. Los gemelos se habían encargado de preparar una enorme cesta de pan con ajo y mantequilla.

Cuando el Dr. Bowles le pasó el pan a la Sra. Adams, ella se estremeció:

—¡Vaya anillo que tiene!

Zeke miró el gran anillo de oro en el meñique regordete del Dr. Bowles. Era una serpiente con dos ojos rojos. A Zeke le pareció muy interesante.

—¿No le gustan las serpientes? —dijo el Dr. Bowles echándose a reír.

—Las odio —respondió ella.

—A mí tampoco me gustan —dijo la Sra. Hartlet desde el otro lado de la mesa—. Me ponen los cabellos de punta.

Jen notó que el Sr. Crane se estremeció.

—Son tan viscosas... —dijo la Sra. Adams.

—En realidad —dijo Zeke—, no son nada viscosas. Son bastante secas al tacto.

—Bueno, no tengo intención de tocar una, por lo que tendré que confiar en tu palabra —dijo la Sra. Adams estremeciéndose.

Cuando estaban terminando de cenar, tía Bee anunció que todas las noches cerraba las puertas a las once.

—Si alguno de ustedes está afuera después de esa hora, vengan a mi entrada privada, que es la puerta azul con una guirnalda, y llamen. Yo les abriré.

—Creo que voy a ir a pasear por el acantilado —dijo el Dr. Bowles, frotando su enorme estómago a la vez que se metía en la boca el último bocado de pan con mantequilla—. Quiero hacer ejercicio después de esta deliciosa cena.

—Pasear no le va a hacer mucho bien —le dijo el Sr. Mitchell—. Correr es mucho mejor. Eso es lo que voy a hacer yo. ¿Viene alguien conmigo?

—Caminar me parece bien —dijo la Sra. Adams.

—A mí también —dijo la Sra. Hartlet. Y se dirigió al Sr. Crane—. ¿Quiere venir con nosotros?

—No, gracias —dijo el Sr. Crane poniendo mala cara—. Voy a prepararme para las entrevistas. Después de todo, sólo uno de nosotros puede conseguir el trabajo.

3

La caja del dragón

Con los ojos entrecerrados, Jen miró la radio digital roja junto a su cama. Lanzó un gemido. Ni siquiera era medianoche, pero algo la había despertado. Slinky estaba acurrucada a su lado, ronroneando suavemente, por lo que no pudo haber sido la gata. ¿Estaba Woofer ladrando? Escuchó atentamente, pero todo lo que pudo oír fue el estrépito de las olas.

Un estremecimiento le recorrió los hombros. Zeke y tía Bee se reían de lo profundo que dormía Jen. Normalmente podía dormir aunque hubiera tormentas eléctricas o Slinky caminara sobre ella.

Se levantó de la cama silenciosamente y se fue de puntillas hacia la ventana. Afuera, la luna iluminaba el océano confiriéndole un brillo plateado. El jardín estaba desierto. Desde el otro lado de la habitación podía ver la bahía, pero si abría la ventana y se asomaba, podía ver también el otro extremo del estacionamiento por encima del tejado de la pensión.

Sacó la cabeza por la ventana que daba a la bahía y aspiró el aire fresco y brumoso, cuando vio de reojo algo que se movía. ¿Era una persona que se movía por el estacionamiento, o era simplemente una sombra de medianoche? Parecía que cuanto más miraba, menos podía ver.

Se quedó sin aliento. ¡Sí! Alguien andaba husmeando en el otro extremo del estacionamiento. Bueno, quizá no estuviera husmeando, se dijo Jen. Desde tan lejos era difícil distinguir lo que hacía esa persona. Pero ¿quién podía estar en el estacionamiento a esas horas de la noche? Tía Bee ya había cerrado las puertas por lo que, quienquiera que fuera, no era de un lugar cercano o era un huésped que se había quedado fuera de la pensión.

La figura borrosa desapareció de nuevo. Justo cuando Jen pensaba que debió haber soñado, la persona retrocedió para aparecer de nuevo bajo la brillante luz de la luna. ¡Esta vez sí pudo reconocer la figura voluminosa del Dr. Bowles!

Un poco más tarde, desapareció de nuevo durante algunos segundos y ya no volvió a aparecer. Jen se puso a pensar en eso mientras se acurrucaba de nuevo en la cama. Se durmió rápidamente antes de llegar a alguna conclusión. Y esta vez, no la despertó nada hasta las seis de la mañana del día siguiente cuando Zeke golpeó su puerta.

～ﾍ

Antes de que Jen pudiera contarle a Zeke lo del merodeador de medianoche, el Sr. Crane irrumpió en el comedor donde todos estaban comiendo los bizcochitos de arándanos recién sacados del horno que tía Bee acababa de poner en una cesta sobre la mesa.

—¿Quién me ha robado mi maletín? —preguntó el Sr. Crane. Su cara arrugada y el cuero cabelludo que se podía entrever a través de su cabello estaban rojos por la ira—. ¡Anoche lo tenía y esta mañana ya no estaba!

—¿No lo habrá dejado en algún otro lugar? —preguntó tía Bee, toda preocupada.

Los labios del Sr. Crane se adelgazaron.

—¡De ninguna manera! En mi maletín estaban mis anotaciones. ¡No lo he perdido de vista ni siquiera un segundo! Alguien me lo ha robado sacándolo de mi habitación y quiero saber quién ha sido.

Todos se miraron.

Jen miró al Dr. Bowles. ¿Le parecía culpable o era su imaginación?

—¿Cómo demonios ha podido alguien robárselo

de su habitación? —le preguntó el Sr. Mitchell, dando un gran mordisco a un bizcochito—. Todas las puertas tienen cerradura.

Los ojos del Sr. Crane se desviaron durante un segundo. Jen echó una mirada a Zeke. Sabía lo que él estaba pensando: el Sr. Crane se había olvidado de cerrar su puerta.

—¿Se aseguró de cerrar la puerta anoche? —le preguntó la Sra. Hartlet en voz baja.

El Sr. Crane no contestó de inmediato. Luego dijo:

—Por supuesto que lo hice. No soy tonto.

Zeke y Jen se miraron de nuevo. Sabían que estaba mintiendo. Aún así, si alguien le había robado su maletín, algo muy sospechoso estaba sucediendo.

—Estoy segura de que lo encontraremos —dijo tía Bee, pasándole la mantequilla—. ¿Por qué no come un bizcochito para empezar el día?

—¿Cómo voy a comer con semejante catástrofe? —se dio la vuelta y salió airadamente del comedor.

—Pobre hombre —dijo la Sra. Hartlet—. Parece tan disgustado. Pero estoy segura de que está superpreparado para estas entrevistas. Lo veo en mis mejores estudiantes constantemente. Incluso la prueba más mínima los pone nerviosos.

Zeke sabía exactamente lo que ella quería decir. Los exámenes y las pruebas eran muy importantes para mantener notas altas. Sabía que a Jen eso no le importaba ni la mitad que a él y sin embargo, sacaba exactamente las mismas notas. Eso no le parecía nada justo.

Jen le dio un ligero codazo en el hombro. Era hora de ir a la parada del autobús.

Cuando salieron, Jen le sonrió a su hermano.

—¿Te imaginas llegar a molestarse por una prueba?

—Muy graciosa —le dijo riéndose. A Jen le encantaba tomarle el pelo a Zeke por lo mucho que estudiaba.

—Sólo estaba bromeando —le dijo Jen—. Pero lo cierto es que el Sr. Crane estaba muy disgustado por su maletín. Ni que tuviera oro escondido en vez de anotaciones viejas y ridículas.

—No puedo creer que alguien haya entrado a hurtadillas en su habitación y le haya robado el maletín —dijo Zeke negando con la cabeza.

Eso le hizo recordar a Jen que había visto al Dr. Bowles la noche anterior, y cuando el autobús los recogió, ella ya le había contado todo a su hermano.

—Quizá lo soñaste todo. No creo que el Dr. Bowles sea un ladrón —dijo Zeke, sentándose frente a Jen (al otro lado del pasillo porque su hermana se había sentado junto a su mejor amiga).

Stacey se inclinó. Su pelo rubio le tapaba la cara.

—¿Quién es un ladrón?

Jen y Zeke se miraron y decidieron en silencio que no era una buena idea decirle a Stacey que un posible futuro director podría ser un ladrón. Toda la escuela lo sabría a la hora de la comida.

—Oh, nadie —dijo Zeke tranquilamente—. Algo que vimos anoche en la televisión.

—Sí, claro. Como si ustedes vieran alguna vez la tele juntos —dijo Stacey haciendo una mueca.

Los tres se rieron sabiendo que Stacey tenía razón, y eso cambió el tema durante el resto del viaje.

Cuando Jen y Zeke pasaron por la puerta de entrada de la Escuela Secundaria de Mystic con sus amigos, una voz fuerte retumbó.

—¡Ahí están! ¡Los gemelos de la pensión!

Jen bajó la cabeza. Tenía las mejillas encendidas.

—Pero ¿cómo llegaron aquí antes que nosotros?

—Es que no iban en un autobús escolar lento —le contestó Zeke, intentando no mover los labios. Sabía que los profesores eran muy buenos leyendo labios.

—¡Jen! ¡Zeke! Vengan aquí.

No tuvieron más remedio que levantar la vista y saludar con la mano al Dr. Bowles. La Sra. Adams y la Sra. Hartlet también saludaron. El Sr. Mitchell estaba demasiado ocupado enderezando su corbata. Zeke no podía creer que llevara puesto un par de zapatos deportivos azules y blancos con su traje gris. Poniendo mala cara, como era habitual en él, el Sr. Crane tenía un aspecto severo con su traje negro, su camisa blanca y su corbata azul marino. Se metió las manos en los bolsillos como si no supiera qué hacer con ellas porque no tenía un maletín para sujetar.

—¡El niño mimado del director! —le dijo alguien que le dio a Zeke un codazo en el costado.

—No tengo la culpa de que estén hospedados en nuestra pensión y que piensen que Jen y yo somos adorables —le dijo Zeke sonriendo a su amigo Tommy y ambos se fueron riendo a su aula.

Jen intentó escabullirse, pero la Sra. Adams la detuvo con una alegre sonrisa.

—¿Cómo estás, hija mía? —la Sra. Adams dijo encantada, mientras esponjaba su cabello.

—Bien —dijo Jen entre dientes. Sentía que los otros niños la estaban mirando—. ¿Y usted?—. Esta era una de esas veces en las que deseaba que tía Bee no les hubiera enseñado a ser tan educados.

—Estupendamente bien, gracias —dijo respirando profundamente—. Este aire de Maine tiene algo. Es tan fresco y tan estimulante...

Jen sonrió y asintió con la cabeza aunque todo lo que podía oler era el polvo de la tiza. Dijo adiós y se alejó rápidamente. Stacey la alcanzó.

—¿Quiénes son? —le preguntó Stacey.

—Los están entrevistando a todos ellos para el cargo del nuevo director, y todos están hospedados en la pensión.

—¡Qué suerte tienes! —dijo Stacey riéndose.

—¡Sí, claro!

Después de regresar de la escuela, tía Bee recibió a los gemelos con galletitas con trocitos de chocolate recién hechas. Tenían que hacer tareas, pero primero debían limpiar las habitaciones de los huéspedes. Ese era su trabajo más importante en la pensión y a ninguno de los dos le importaba hacerlo. Era divertido ver cómo mantenían los huéspedes sus habitaciones porque reflejaba la personalidad de los mismos.

Siempre limpiaban las habitaciones siguiendo el mismo orden. Comenzaban abajo por el Gabinete del Narciso y subían por las escaleras de la parte trasera para limpiar las habitaciones de arriba. Luego bajaban por las escaleras de adelante para limpiar las dos habitaciones restantes. Esto significaba que esta semana tenían que comenzar por la habitación de la Sra. Adams y acabar con la del Dr. Bowles.

Slinky se metió sigilosamente con ellos en el Gabinete del Narciso. Mientras los gemelos quitaban el polvo, barrían y colocaban toallas limpias, la gata saltaba y tocaba con su pata todas las cosas que estuvieran sueltas o colgando.

Al cerrar la puerta del armario, Jen notó que la Sra. Adams había colgado ordenadamente su ropa de tonos rojos, anaranjandos y amarillos brillantes, tan vistosos como su cabello. Tanto ella como sus pertenencias iban bien con los adornos de la habitación.

Zeke leyó el título de la novela que estaba en su mesita de noche: *Asesinato en la biblioteca*, de Esther Barrimore; parecía que nadie la había abierto todavía.

Era obvio que la Sra. Adams había recogido algunas flores silvestres la noche anterior y que las había puesto en su tocador en un vaso de agua. Tenían un aspecto muy alegre.

Jen persiguió a Slinky para sacarla de debajo de la cama y poder subir a la habitación de la Sra. Hartlet.

—Mira —dijo Zeke—. Apenas ha abierto su maleta—. Dos trajes oscuros entallados y casi idénticos estaban colgados en el armario y un par de zapatos finos de tacón bajo estaban pulcramente ordenados en el piso del armario.

—Así la habitación sigue bien ordenada —dijo Jen que estaba quitando el polvo del alfeizar de la ventana rosada—. Quizás piensa que no va a pasar todas las entrevistas y no quiere ponerse demasiado cómoda.

—Si esa es la razón, entonces no tiene mucha confianza en sí misma.

Jen siguió quitando el polvo de la mesita de noche donde advirtió que había algo que impedía cerrar el cajón completamente. Lo abrió y descubrió un par de guantes de cuero de color marrón oscuro.

—¡Qué extraño! —dijo señalándolos—. ¿Quién lleva guantes en esta época del año?

—¡Eh! No seas entrometida —Zeke se volvió hacia ella—. A este paso, no vamos a terminar nunca.

Echándole un último vistazo a los guantes, Jen los metió en el cajón y lo cerró completamente. Luego salió de la habitación con su hermano.

La habitación del Sr. Crane también estaba muy limpia. No había nada que estuviera fuera de su lugar. No había zapatos tirados por el suelo, ni corbatas sueltas, ni libros en la mesita de noche. Slinky saltó al tocador y volcó la única posesión personal que se veía en toda la habitación.

Jen recogió la foto enmarcada de una mujer gorda, de pelo rizado y amplia sonrisa, y la volvió a colocar en el tocador con cuidado.

—Me gustan las habitaciones como esta —dijo Zeke mientras cerraba la puerta y le echaba llave.

—Eso es porque estas obsesionado con la limpieza —le dijo Jen burlonamente.

Bajaron por las escaleras de la parte delantera y abrieron la puerta de la habitación del Sr. Mitchell. Los dos se quedaron asustados cuando la vieron.

—Deberías sentirte muy a gusto con todo este desorden —le dijo Zeke burlonamente, mirando a su alrededor con una mezcla de disgusto y de sorpresa.

—¡Eh! Yo no llego a este extremo —replicó Jen.

El suelo estaba lleno de zapatos deportivos, playeras, pesas y una esterilla para hacer ejercicios. Su cama sin tender estaba cubierta de revistas: *Sports Illustrated, Men's Health, Karate Magazine* y muchas otras más. A regañadientes, comenzaron a amontonar las revistas en la mesa que estaba junto a la ventana. Después de tender la cama, colocaron las pesas en una fila ordenada contra una pared y los zapatos contra otra.

—Tiene cinco pares de zapatos deportivos —dijo Jen asombrada.

Finalmente acabaron, suspiraron aliviados y se dirigieron al Valle de las Violetas. Cuando bajaban por el vestíbulo llevando sus productos de limpieza a cuestas, la Sra. Adams salió furtivamente de la habitación del Dr. Bowles y cerró la puerta con cuidado.

—Hola —dijo Zeke.

La Sra. Adams se dio media vuelta rápidamente.

—¡Oh! No los he oído venir.

—¿Necesitaba algo? —preguntó Jen procurando no parecer desconfiada.

—Acabo de regresar y pensé dar una vuelta por esta encantadora casa antigua —dijo encogiendo los hombros ligeramente—. Desde luego que tan pronto como me di cuenta de que esta era una habitación de huéspedes, me salí. Me encanta cómo han decorado cada habitación con un tema floral diferente.

—Tía Bee se encarga de la decoración —dijo Jen y le mostró el cubo con productos de limpieza—. Nosotros nos encargamos de la limpieza.

La Sra. Adams se rió mientras se alejaba. Los gemelos entraron en la habitación del Dr. Bowles aliviados de que la habitación estuviera bastante ordenada.

—¡Vaya! Mira esta caja estupenda —exclamó Jen.

Zeke se acercó al tocador y se quedó mirando la caja de madera que tenía un intrincado dragón tallado.

—¡Qué raro! —dijo, señalando las iniciales que estaban encima de la cerradura.

—M.C.R. —Jen las leyó en voz alta—. Esas no son sus iniciales. Su apellido es Bowles.

De repente, los gemelos escucharon un ruido detrás de ellos. El Dr. Bowles había entrado en la habitación y miraba boquiabierto a los gemelos. De inmediato, levantó la caja del tocador. Zeke oyó que algo sonaba adentro.

—Jamás vuelvan a tocar esta caja —dijo el Dr. Bowles fulminando a los gemelos con su mirada.

—No la hemos tocado —dijo Jen protestando—. Sólo...

Pero el Dr. Bowles no la dejó terminar.

—¡Salgan de aquí! ¡Si alguna vez los vuelvo a ver husmeando aquí, se lo diré a su tía!

Lo que haga falta

—El Dr. Bowles es como el Dr. Jekyll y Mr. Hyde —dijo Jen entre dientes mientras llevaban los productos de limpieza a la despensa de la cocina—. Un rato es simpatiquísimo y al otro rato es capaz de arrancarnos la cabeza.

—Debe haber algo importante en esa caja. Escuché un ruido cuando él la agarró —dijo Zeke asintiendo.

—Quizá sean diamantes o algo por el estilo.

—Seguro —dijo Zeke con un tono sarcástico en su voz—. El Sr. Crane tiene oro en su maletín y el Dr. Bowles diamantes en su caja —dijo sacudiendo la cabeza—. De todas formas, ¿de dónde te vienen estas ideas?

—Pues espera que te diga lo que pienso de los demás —dijo Jen con una amplia sonrisa.

—No estoy seguro de que quiera oírlo —gruñó Zeke, pero como Jen se quedó **callada,** añadió—: Bueno, dímelo.

Jen dejó caer el cubo en el **rincón de la** despensa y apoyó la escoba contra la pared. Se **dio la vuelta** hacia su hermano y fue contando a los huéspedes con los dedos.

—Hemos hablado de Bowles y Crane. Luego está Adams y su pelo crespo anaranjado de lo más extravagante. Creo que realmente es una peluca y que es una agente secreta encargada de agarrar al Sr. Crane y al Dr. Bowles.

—No encaja exactamente con la idea que tengo de los agentes secretos —dijo Zeke poniendo los ojos en blanco.

—Por eso podría ser perfecta para el trabajo. Nadie sospecharía de ella. El Sr. Mitchell está huyendo de la policía y por eso lleva zapatos deportivos todo el tiempo, para escapar rápidamente. Y la Sra. Hartlet es... —la voz de Jen se fue apagando mientras miraba al techo, pensando.

—No me digas que todavía no lo has pensado —dijo Zeke mientras se acomodaban en la mesa de la cocina con algo de beber.

Jen bebió a sorbos su vaso de limonada; luego se inclinó hacia adelante y bajó la voz.

—Probablemente la Sra. Hartlet sea la más peligrosa de todos ellos porque parece tan inocente.

—Estás loca —le dijo Zeke, agitando su vaso y derramando casi la mitad de la leche sobre la mesa.

—Quizás sí, quizás no —dijo Jen encogiéndose de hombros y sentándose cómodamente.

Después de que los huéspedes se marcharon a comer con el inspector de las escuelas, Jen y Zeke se sentaron con tía Bee en la cocina. Cuando los tres estaban solos, se sentaban en la pequeña mesa redonda de la acogedora cocina.

La cocina era uno de los lugares favoritos de Jen. Tía Bee coleccionaba todo tipo de adornitos que tuvieran que ver con las abejas. Había cubierto el frigorífico con imanes con forma de abeja y había puesto unas cortinas con dibujos de abejas en la ventana de la cocina. También había agarraderas y cojines con forma de abeja, figuritas y tarjetas de anotaciones con abejas. Las postales que sus amigos le habían enviado con abejas estaban pegadas con cinta adhesiva en los armarios. Incluso tenía un teléfono en forma de colmena con una enorme abeja a modo de auricular.

—¿Por qué estás tan cansada? —le preguntó Zeke

a su tía, raspando el último trozo de pastel de chocolate de su plato—. Has estado bostezando durante toda la cena.

—No dormí bien anoche —admitió tía Bee, levantándose para lavar los platos—. Además el Dr. Bowles llamó a mi puerta a las doce menos cuarto. No me imagino qué estaba haciendo afuera tan tarde, pero simplemente me dijo que había perdido la noción del tiempo cuando estaba en el acantilado.

Jen miró a su hermano y arqueó las cejas. Entonces, después de todo, no había estado soñando.

—¡Qué raro! —dijo Zeke.

—Me quedé levantada un rato pensando en eso, y por eso estoy tan cansada hoy —dijo tía Bee, y se encogió de hombros.

—Te ayudaremos a sacar la basura —dijo Zeke.

—¿Te ayudaremos? —respondió Jen.

Zeke le echó una mirada de esas que quieren decir "hazlo".

Cada uno de los gemelos agarró una enorme bolsa negra llena de basura y se dirigió hacia los cubos que estaban junto al estacionamiento de la pensión.

Slinky se metió entre los pies de Zeke cuando estaba caminando y casi le hizo tropezar.

—¡Lárgate! —le dijo, pero la gata no hizo caso, se restregó una vez más en los tobillos de Zeke y se adelantó de un brinco. Slinky llegó a la basura antes y cuando ellos le dieron alcance, ya había encontrado algo con qué jugar.

Zeke levantó su bolsa por encima del cubo y Jen hizo lo mismo.

Se quedaron parados para reírse de Slinky, que se revolcaba y se abalanzaba sobre un trocito de plástico rojo.

—Uno podría pensar que es un ratón por la forma en que se divierte jugando —comentó Zeke—. Pero ¿de dónde ha sacado ese trozo de plástico?

—No lo entiendo —Jen se avalanzó sobre la gata, pero Slinky escapó como flecha con el trozo de plástico atrapado entre sus afilados dientecillos.

Cuando regresaban a la entrada trasera de la pensión, Zeke dijo:

—Me pregunto qué hacía el Dr. Bowles anoche.

Jen lo agarró del brazo; su cerebro ya no estaba pensando en Bowles.

—¡Mira! —dijo señalando uno de los autos rojos estacionados. Los huéspedes se habían ido a cenar en dos autos, dejando tres allí—. Ese auto rojo, ¡tiene el guardafangos delantero abollado!

La luz del crepúsculo comenzaba a desaparecer. Se apresuraron a ir al auto y se agacharon para examinar el destrozo. El guardafangos estaba abollado y la pintura roja había saltado por algunas partes dejando marcas marrones oxidadas.

—¡Estoy segura de que este auto fue el que casi le hizo despeñarse a la Sra. Adams por el acantilado! —dijo Jen.

—Pero ¿de quién es? —dijo Zeke.

Los gemelos entraron corriendo para comprobar las tarjetas del registro. Tía Bee las guardaba detrás del mostrador de recepción.

—Aquí está —dijo Zeke.

—¡Del Sr. Mitchell! —leyó Jen por encima del hombro de su hermano.

Oyeron pasos y voces en el porche de la entrada y guardaron rápidamente el archivador de metal.

Los hermanos vieron al Sr. Mitchell entrar en la pensión, mientras se aflojaba la corbata. Jen le dio a su hermano un ligero codazo en el costado y le susurró:

—¿Crees que intentó sacar de la carretera a la Sra. Adams?

Como si la hubiera oído, el Sr. Mitchell giró la cabeza y se quedó mirando a los gemelos con los ojos entrecerrados. Jen puso una sonrisita y lo saludó, pero el Sr. Mitchell no le devolvió el saludo ni la sonrisa.

Cuando se alejó, Zeke dijo bajito:

—Desde luego que parece culpable.

Justo entonces, el Dr. Bowles irrumpió en la puerta de entrada, sosteniendo un maletín por encima de su cabeza.

—¡Lo he encontrado! —gritó.

El Sr. Crane se dio la vuelta rápidamente.

—¡Ese es mi maletín! —gritó y se precipitó hacia adelante—. ¿Dónde estaba? —preguntó mientras el Dr. Bowles se lo entregaba.

—Justo al lado del porche, entre esos arbustos. Vi que la gata se escondía allí y cuando me acerqué para mirar, allí estaba. La gata estaba sentada encima.

—¿Encontró Slinky el maletín? —preguntó Jen.

—Eso parece —asintió el Dr. Bowles.

—Eso es ridículo —dijo el Sr. Crane abruptamente—. Y supongo que me van a decir que la gata lo puso ahí también—. Levantó el maletín con una mano y con la otra, hizo girar los números de la cerradura y la abrió. Revolvió rápidamente los papeles, pareció quedar satisfecho y cerró el maletín con un golpe seco.

—Es un alivio que lo haya recuperado —dijo tía Bee.

El Sr. Crane abrió la boca para decir algo, pero la música de un piano que venía del salón lo interrumpió. Los hermanos y los demás huéspedes se acercaron al lugar donde sonaba la música.

La Sra. Adams estaba en el banco del piano y tarareaba mientras tocaba. Tía Bee mantenía afinado el viejo piano vertical, a pesar de que Jen y Zeke habían dejado de tomar lecciones el año anterior.

—¿Por qué no cantamos algunas canciones? —sugirió la Sra. Adams, mientras sus dedos recorrían el teclado ágilmente, a pesar del vendaje que tenía en su índice derecho.

Los gemelos se miraron el uno al otro. "¿Cantar? ¿Habrá creído la Sra. Adams que aquello era un campamento?".

—No cuenten conmigo. Tengo mucho trabajo —dijo el Sr. Crane con frialdad, agitando el maletín para dar mayor énfasis.

—Oh, quédese, le ayudará a relajarse. No sea un ermitaño —dijo riéndose el Dr. Bowles.

El Sr. Crane puso cara de pocos amigos, pero se quedó y se sentó rígidamente en una silla.

Jen y Zeke compartían un asiento en el rincón desde donde podían ver a todos, especialmente al Sr. Mitchell.

La tía Bee entró en el salón y se acercó hasta la Sra. Hartlet.

—Ha llegado esto para usted en el correo de hoy.

La Sra. Hartlet tomó la carta con un "gracias" que denotaba sorpresa.

Cuando la Sra. Adams comenzó a tocar "Miguel, lleva tu barca remando hasta la orilla", Jen se quedó mirando a la Sra. Hartlet. Parecía preocupada al abrir el sobre y desdoblar una carta.

Incluso desde el otro lado de la habitación, Jen pudo ver que la Sra. Hartlet daba un enorme suspiro de alivio a medida que la leía. Entonces comenzó a cantar con poco entusiasmo, mientras rompía la carta distraídamente.

Después de tres canciones, el Sr. Crane se levantó de forma repentina y salió del salón pisando fuerte, abrazando el maletín contra su pecho, como si tuviera miedo de que alguien se lo arrebatara.

Los demás huéspedes también fueron saliendo poco a poco. Antes de marcharse, la Sra. Hartlet recogió los trozos de papel que había roto.

Sólo se quedaron Jen, Zeke y tía Bee.

—Esta noche voy a echar la llave temprano porque ya están todos adentro —dijo tía Bee bostezando—. Y luego, ¡me voy a la cama! —miró su reloj—. Ya es hora de que ustedes dos también se acuesten.

—Muy bien —dijo Zeke mientras su tía se marchaba del salón. Entonces se volvió hacia Jen—. ¿Lo viste hacer algo sospechoso?

—¿A quién?

—Al Sr. Mitchell. ¿Recuerdas? —le dijo Zeke refunfuñando.

—Ya me acuerdo —dijo Jen de forma defensiva—. Me había olvidado por un segundo. De todos modos, no he visto que hiciera o dijera nada sospechoso. ¿Y tú?

Zeke dijo que no con la cabeza y se levantó para irse.

—Voy a buscar a Slinky —dijo Jen. Le gustaba llevarse a Slinky a su habitación por la noche. La cariñosa gata dormía al pie de su cama y la despertaba con un suave ronroneo en el oído todas las mañanas a la misma hora.

Jen anduvo por el salón buscando en todos los rincones en los que Slinky solía esconderse.

Estaba a punto de irse cuando vio un trozo de papel bajo una silla. Se dio cuenta de que era un trozo de la carta que la Sra. Hartlet había hecho pedazos y lo recogió. Solamente se veían algunas palabras garabateadas.

Olvidándose de Slinky, Jen salió del salón en busca de Zeke, que estaba en el comedor, ordenando las sillas para el desayuno del día siguiente.

—¡Mira! —le enseñó el papel.

Zeke lo leyó en voz alta.

—"Y haz lo que haga falta para conseguir el trabajo, porque..." —le dio la vuelta al papel—. ¿Eso es todo? ¿Qué es esto? ¿Qué significa?

Jen le explicó lo de la carta de la Sra. Hartlet y cómo ella la había hecho pedazos, como si no quisiera que nadie la leyera.

—Parece realmente sospechoso —admitió Zeke moviendo la cabeza.

—Sospechoso, pero ¿por qué? —preguntó Jen que había estado pensando lo mismo, pero no le encontraba sentido.

Un grito repentino sobresaltó a los hermanos, seguido de tres fuertes golpazos, ¡como si alguien se estuviera cayendo por las escaleras!

5
Muy
sospechoso

Jen y Zeke entraron corriendo en el vestíbulo y miraron las amplias escaleras de la entrada. En medio de las mismas, el Sr. Mitchell trataba de ponerse de pie lentamente.

Tía Bee apareció con su bata verde y su largo cabello suelto en la espalda.

—¿Qué ha sucedido?

El Sr. Mitchell estiraba los brazos como si estuviera comprobando si tenía algún hueso roto.

—¡Alguien me ha empujado por las escaleras!

—¡No puede ser! —dijo el Dr. Bowles. Él y los demás huéspedes habían salido rápidamente de sus habitaciones y se reunieron en ambos extremos de las escaleras.

—Entonces, ¿cómo me he caído? —preguntó el Sr. Mitchell.

—Quizás se haya tropezado —sugirió la Sra. Hartlet.

—Quizás usted me empujó —le respondió—. Yo estoy en buena forma físicamente y no soy torpe, como algunas personas de aquí.

—¿Qué es lo que le hace pensar que alguien lo ha empujado? —preguntó Zeke antes de que alguien pudiera abrir la boca para protestar.

El Sr. Mitchell bajó las escaleras pisando fuerte.

—Sentí que una mano me empujaba desde atrás. Afortunadamente tengo una excelente condición física y me pude agarrar cuando iba por la mitad. ¡Podía haberme partido el cuello!

—De todas formas, ¿qué estaba haciendo ahí arriba? —le preguntó Jen. Sabía que su pregunta no era muy cortés, pero era muy raro que el Sr. Mitchell estuviera en el primer piso cuando su habitación estaba en la planta baja.

—Estaba buscando mi cronómetro. ¡Ha desaparecido!

—¿Y pensó que podría estar aquí arriba? —preguntó el Sr. Crane desde la parte de arriba de las escaleras—. ¿Pensó que alguno de nosotros se lo había robado?

—Alguien se lo llevó —respondió el Sr. Mitchell con brusquedad.

—Vamos, vamos —dijo tía Bee con voz conciliadora—. Estoy segura de que lo encontraremos. Tenemos un fantasma travieso que esconde cosas. Aparecerá mañana, ya lo verá.

Zeke miró a la Sra. Hartlet que se había quedado mirando hacia abajo desde la parte de arriba de las escaleras. Su habitación estaba al fondo del pasillo. ¿Pudo ella haber empujado al Sr. Mitchell y luego haberse escondido en un rincón o en su habitación antes de que alguien la viera?

Después de asegurarse de que el Sr. Mitchell no estaba herido, todos se dieron las buenas noches de nuevo. Jen y Zeke oyeron el "clic" de las cerraduras cuando las puertas se cerraron.

Los gemelos le dieron un abrazo a su tía y se dirigieron a sus habitaciones de la torre del faro.

—¿Crees que fue un accidente? —Jen le preguntó a Zeke.

—No lo sé. Dijo que sintió una mano en la espalda.

—Sí, pero de todas formas, ¿qué estaba haciendo arriba? ¿Perdió realmente su cronómetro o era una excusa para estar allá arriba?

—Si lo había perdido —dijo Zeke— ¿por qué estaba en la primera planta?

Al día siguiente, durante la clase de literatura, Jen fue al despacho para cumplir un encargo de la Sra. Hay, su profesora. Mientras permanecía de pie en el mostrador de la recepción esperando a la secretaria, oyó al Sr. Crane hablando por el teléfono del despacho. Jen se acercó.

"No es que sea entrometida —se dijo a sí misma—. Sólo curiosa".

El Sr. Crane se inclinó sobre el teléfono. Obviamente no quería que nadie lo escuchara.

"¿Qué puede ser tan importante y privado?" se preguntaba Jen.

—Es que simplemente no puedo —dijo el Sr. Crane con voz ronca en el auricular. Dijo algo más, pero lo hizo demasiado bajo como para que se pudiera escuchar.

Jen se acercó y la boca se le secó cuando oyó decir al Sr. Crane:

—No puedo hacerlo. Esa gente es tan... Es más difícil de lo que había pensado... No salió como estaba planeado, y tampoco lo otro...

La secretaria de la escuela asustó a Jen cuando le preguntó qué quería. Cuando acabó de hablar con la secretaria, el Sr. Crane se había marchado.

Jen se moría por decirle a Zeke lo que había escuchado, pero como faltaba todavía una hora para el almuerzo, regresó a clase. Finalmente pasó la hora y Jen encontró a Zeke en la cafetería, pero era difícil hablar con tanta bulla.

—Eso parece sospechoso —dijo Zeke después de encontrar un rincón más tranquilo.

—Sospechoso, ¿de qué? —dijo Jen mordiendo su sándwich de plátano y mantequilla de cacahuate.

—De hacerles daño a los otros —dijo Jen con la boca llena.

Zeke puso los ojos en blanco.

—Primero termina de tragar eso —le aconsejó.

—De hacerles daño a los otros —dijo Jen de nuevo, después de tragar el bocado con un poco de leche helada—. Si se deshace de los otros candidatos, ¡conseguirá el trabajo! Recuerda, fue el único que dijo que sólo uno de ellos podría ser el director. Debe desear tanto ese trabajo que está dispuesto a hacer cualquier cosa para quitarse a los otros de encima.

Zeke asintió pensativamente, masticando su barra de cereales hecha en casa.

Antes de que alguno de ellos pudiera decir algo, Stacey apareció sosteniendo una bandeja en una mano. Jaló el brazo de Jen y dijo:

—Vamos, Jen, me dijiste que te sentarías conmigo

junto a la ventana. ¡No vas a creer lo que Josh acaba de decirme!

Encogiéndose de hombros, Jen se puso de pie y siguió rápidamente a su amiga, pero le envió mentalmente un mensaje a Zeke. "Hablaremos después de la clase". Tuvo que haber captado el mensaje porque cuando se dio la vuelta para mirarlo, él asintió.

Cuando el autobús escolar los dejó al pie de la colina, los gemelos subieron por la carretera rumbo a la pensión.

—¿Has tenido alguna idea brillante? —le preguntó Jen.

—¿Sobre qué?

—Sobre lo que está pasando. Están sucediendo demasiadas cosas raras para que todo sea una coincidencia, ¿no crees?

—Quizás.

—¿Qué quieres decir con "quizás"? —le preguntó Jen.

—Quizás estamos reaccionando de forma exagerada.

—El Sr. Mitchell casi se mata al caerse por las escaleras y a la Sra. Adams prácticamente la echaron de la carretera y ¿tú crees que yo estoy reaccionando de forma exagerada? —dijo Jen irritada—. ¡Quizás simplemente estamos *subreaccionando* demasiado!

—No existe la palabra *subreaccionar* —le dijo Zeke.

—¡Vaya! Olvídate. Averiguaré esto por mi cuenta —le dijo Jen fulminándolo con la mirada.

En la pensión encontraron al detective Wilson sentado con tía Bee en la mesa de la cocina. Se reían de algo, mientras el detective Wilson acababa un trozo de pastel de manzanas *à la mode*.

Aunque el detective ya estaba jubilado, había trabajado como policía de Mystic durante cuarenta años y todos todavía lo llamaban detective Wilson. Jen pensaba que estaba chiflado por tía Bee, pero Zeke decía que simplemente le gustaba la forma en que ella cocinaba. De cualquier manera, a ellos les gustaba verlo. Solía venir a menudo para merendar o cenar y le gustaba ayudar a tía Bee en el trabajo más pesado de la pensión.

Los saludó con una sonrisa tan cariñosa que era capaz de deshacer cualquier trozo de helado que quedara en su plato. Jen observó que, por supuesto, ya no le quedaba nada de helado. Cuando tía Bee cocinaba u horneaba algo, nunca quedaba nada en el plato de nadie.

Jen se desplomó en una silla al lado del detective Wilson.

—¿Le ha contado tía Bee algo de los accidentes?

—¿Accidentes? —dijo el detective arqueando las cejas.

—No ha sido nada —le aseguró tía Bee—. Eso es todo lo que han sido, accidentes.

—Quizás sí y quizás no —dijo Jen y pasó a contarle al detective que la Sra. Adams había tenido un accidente de auto, y que el Sr. Mitchell decía que lo habían empujado por las escaleras y que casi se rompió el cuello.

—Y no te olvides que desapareció el maletín del Sr. Crane —añadió Zeke.

El detective Wilson escuchó atentamente y dijo:

—Me temo que la policía no pueda hacer nada con respecto a esos incidentes a menos que las víctimas quieran denunciarlos. Además, parece que se trata de accidentes. Incluso si la Sra. Adams y el Sr. Mitchell presentaran una denuncia, posiblemente no sacarían nada en limpio. Y como el Sr. Crane encontró su maletín... —su voz se fue apagando mientras se encogía de hombros.

Jen miró con el ceño fruncido a Zeke que le sonreía burlonamente. Tía Bee se levantó, le sirvió a cada uno un trozo de pastel y dijo:

—Esta tarde tendrán que esperar para limpiar las habitaciones. Todos los huéspedes están descansando ahora. Esta noche tendrán una cena y mañana será el gran día de las entrevistas. Me parece que la tensión los está afectando.

Tía Bee sacó una cucharada llena de helado para Jen. Justo cuando la dejaba caer en el trozo de su tarta, un grito espeluznante resonó en toda la pensión.

6
Otra
víctima

Un escalofrío le subió a Jen por la espalda.

—¿Quién gritó así? —dijo susurrando.

Se volvió a escuchar otro grito.

El detective Wilson se puso de pie y corrió hacia el lugar del grito. Jen, Zeke y tía Bee lo siguieron de cerca. Escucharon una conmoción en el primer piso y subieron corriendo las escaleras de la parte delantera. Algunos de los huéspedes estaban apiñados en el pasillo a la altura de la habitación de la Sra. Hartlet. La Sra. Hartlet permanecía de pie en medio del grupo, con las manos sobre la cara, mientras la Sra. Adams intentaba consolarla.

—¿Qué ha sucedido? —le preguntó el detective Wilson.

—Una s... ser... piente —dijo la Sra. Hartlet castañeteando los dientes.

Jen y Zeke se abrieron paso a través del grupo y se detuvieron en la entrada. El Dr. Bowles estaba agachado, buscando la serpiente bajo la cama.

—¿La ha visto? —le preguntó Zeke.

—Sí —dijo el Dr. Bowles con un gruñido—, pero se ha escabullido y ahora no la encuentro.

—¿Qué clase de serpiente es?

—Es una variedad inofensiva de jardín. Nada para preocuparse.

—Yo no estoy preocupado —dijo Zeke—. Lo ayudaré a buscarla.

Jen se unió a la búsqueda. No le gustaban las serpientes, pero al menos sabía que esa no era venenosa. Mientras se arrastraba por el suelo pensaba: "Esa serpiente no ha entrado aquí por sí sola. Definitivamente algo está pasando".

Encontró a la serpiente enroscada al pie de la papelera, junto a la calefacción. Después de tragarse un pequeño alarido, llamó a Zeke y al Dr. Bowles, intentando mantener la voz firme.

—La he encontrado.

El Dr. Bowles levantó la serpiente con una mano. Los otros huéspedes le abrieron el paso cuando salió de la habitación de la Sra. Hartlet.

—No es más que una hermosa culebrita de jardín —dijo el Dr. Bowles con una sonora risita mientras bajaba por las escaleras para llevar afuera la serpiente. Cuando iba por la mitad, pasó junto al Sr. Mitchell y le pasó la serpiente.

—¿Podría sacarla?

El Sr. Mitchell retrocedió tanto que Jen pensó que se iba a caer por encima del pasamanos. Cuando se enderezó, Jen tuvo que morderse el labio para no reírse a carcajadas.

—No, gracias —dijo el Sr. Mitchell, todavía alejándose de la serpiente—. Me parece que usted tiene todo bajo control.

El Dr. Bowles sonrió burlonamente.

—Si está seguro...—. Bajó el resto de las escaleras y salió por la puerta de la entrada, riéndose todo el tiempo.

El Sr. Mitchell lo siguió con la mirada, con los ojos medio cerrados y los labios tensos de disgusto.

"Si las miradas mataran...", Zeke no pudo dejar de pensar.

A la Sra. Hartlet tuvieron que asegurarle varias veces que no había más serpientes en su habitación para que pudiera regresar. El Sr. Crane, cuya habitación estaba al otro lado del pasillo, se puso un poco pálido, especialmente cuando la Sra. Adams dijo:

—¡Espero que no haya serpientes en ninguna otra habitación!

—No puedo imaginarme cómo la serpiente llegó aquí, pero debe haber una explicación lógica. Esto nunca ha sucedido antes —dijo tía Bee mientras se aclaraba la garganta.

Jen sujetó a Zeke del brazo y lo llevó abajo, al salón.

—¿Ves? —cuchicheó—. Algo raro *está* sucediendo. Alguien intentó echar por el acantilado a la Sra. Adams en la Curva del Muerto, alguien robó el maletín del Sr. Crane con todos sus papeles importantes, alguien empujó al Sr. Mitchell por las escaleras para que se rompiera el cuello, y a la Sra. Hartlet le han dado un susto de muerte.

—Quizás, después de todo, no sean coincidencias —asintió Zeke con la cabeza.

—No sólo eso —dijo Jen—, sino que la persona responsable tiene que ser alguien que está hospedado aquí.

—¿Por qué?

—Tía Bee se habría dado cuenta si algún extraño hubiera entrado aquí para dejar la serpiente. Y anoche ella ya había cerrado la puerta con llave antes de que empujaran al Sr. Mitchell por las escaleras. Obviamente, alguien desea tanto el trabajo que está intentando asustar a la competencia.

—Tienes razón —asintió Zeke.

—Entonces, tenemos que averiguar quién está causando todos estos accidentes antes de que alguien resulte herido.

—Pero estoy seguro de que el detective Wilson va a hacer eso.

Jen se dejó caer en el sillón con un pequeño gruñido.

—¿Quién sabe más acerca de los huéspedes? ¿El detective Wilson o nosotros? Averiguaremos quién es y luego se lo diremos a él.

—Tenemos que actuar un poco como sabuesos, ¿no?

—Exactamente —dijo Jen asintiendo—. Entonces, ¿por dónde empezamos?

—Examinaremos el escenario de cada accidente. Empecemos con el primero y partamos de ahí.

—¡Eso quiere decir que tenemos que ir a la Curva del Muerto! —Jen se estremeció.

7

La Curva del Muerto

—Bien. La Curva del Muerto —repitió Zeke.

Esa peligrosa curva en "S" de la carretera siempre le había puesto los cabellos de punta. Llamarla la Curva del Muerto, tal como lo hacían los lugareños, no ayudaba para nada. Cada año había montones de accidentes. Recientemente, la ciudad había decidido volver a pavimentar la carretera y colocar una nueva barrera de protección con la esperanza de evitar accidentes. Eso, obviamente, no había funcionado: la Sra. Adams había tenido el primer accidente desde que se había mejorado la carretera.

—Iremos mañana —dijo Jen—. Los profesores van a celebrar durante todo el día sus reuniones internas, por lo que estaremos libres para investigar.

—¿Te he oído decir que van a estar libres mañana? —preguntó tía Bee, entrando en el salón—. ¿Se han olvidado de que tienen que pintar la moldura de las ventanas del comedor y del salón?

—Pero eso nos puede llevar todo el día —dijo Jen gimiendo.

Tía Bee le hizo un guiño.

—Pueden empezar ahora, si lo desean —y con una sonrisa burlona se marchó.

Jen y Zeke se miraron. No les hacía la menor gracia la idea de comenzar ahora pero ¿cuándo irían a la Curva del Muerto?

—Tenemos que buscar pistas inmediatamente —dijo Jen, mirando su reloj.

—Pero pronto anochecerá.

—Tenemos por lo menos una hora. Vamos —dijo levantándose.

Tía Bee volvió a entrar en el salón.

—Necesito que me ayudes un momento en la cocina, Jen. No te ofendas, Zeke, pero tu hermana amasa mejor. Por haber jugado *softball* todos estos años, tiene las manos duras que se necesitan para la masa.

Tía Bee se marchó de nuevo sonriendo y Jen miró a su hermano.

—Tendrás que ir tú solo a la Curva del Muerto.

Zeke tragó saliva:

—¿Yo solo? —repitió.

—¿Se te ocurre otra idea? —dijo Jen asintiendo—.

Tengo que quedarme aquí para ayudar a tía Bee ahora y mañana tenemos un montón de trabajo. Esta es nuestra, quiero decir, tu única oportunidad.

—Supongo que sí —dijo Zeke de mala gana, intentando pensar en otro plan.

—Tú quieres resolver este misterio, ¿no? —le preguntó Jen.

—Desde luego, pero...

—Entonces, muévete. Vete y ten cuidado cuando te acerques a la Curva del Muerto.

—Oye, gracias por el consejo —dijo Zeke, poniendo los ojos en blanco.

Al salir del salón, Zeke miró a su alrededor. Habría jurado que escuchó el crujido de un paso afuera hacía un segundo, pero no había nadie. Se encogió de hombros pensando que debió haber sido tía Bee.

Jen lo acompañó al lugar donde guardaban sus bicicletas. Vio como su hermano cubría con un casco rojo brillante su ondulado cabello castaño.

—Suerte —le dijo.

—Gracias —respondió Zeke y pedaleó colina abajo. Iba por el lado derecho de la carretera. Había muy pocos autos.

Ir cuesta abajo era fácil. Zeke dejó que la bici siguiera rodando. Intentó no pensar en la Curva del Muerto, pero cuanto más se esforzaba, más pensaba en ello. "La Curva del Muerto. La Curva del Muerto. La Curva del Muerto. ¡¡Arg!!".

Cuando el empinado camino que descendía del faro se niveló, Zeke tuvo que empezar a pedalear. El sol estaba bajo, a su derecha, detrás de los pinos. Al menos la temida curva de la carretera no estaba demasiado lejos. Calculó que podría llegar allí y regresar a la pensión en unos treinta o cuarenta y cinco minutos como máximo.

Pedaleó rápido, no porque tuviera muchas ansias de llegar, sino porque quería acabar con todo esto. Conforme se acercaba a la curva, sus dedos apretaban el manillar cada vez con más fuerza.

El camino tenía una curva leve y luego, de golpe, aparecía la Curva del Muerto. Al otro lado de la carretera había algo de hierba, una cerca y luego nada. El acantilado caía hasta llegar a las olas batientes y las rocas afiladas. Ese lado de la carretera era empinado y estaba ensombrecido por los pinos. Zeke iba con su bicicleta por el arcén de tierra, manteniéndose lo más alejado posible del pavimento. Algunos autos lo pasaron, pero todos se movían a una velocidad moderada, prestando atención prudentemente a las flechas amarillas y a las señales que decían REDUZCA LA VELOCIDAD, CURVA PELIGROSA.

Por fin llegó al punto donde, según la Sra. Adams,

la habían obligado a salir de la carretera. Se bajó de la bici y, con mucho cuidado, cruzó con ella ambos carriles. Dejó la bicicleta en una cuneta, evitando el precipicio que estaba justo al otro lado de la barrera de seguridad. Intentó no mirar por encima del arcén.

"No es que tenga vértigo —dijo para sí— es que... —se quedó en blanco—. Bueno, no me gustan las alturas" —pensó. No le gustaba admitirlo, ni siquiera a sí mismo.

Intentando olvidarse del acantilado y las olas que retumbaban abajo, Zeke comenzó a buscar pistas. Lo golpeaban fuertes ráfagas de viento, que hacían crujir los árboles y le llenaban los ojos de tierra. Se detuvo con los ojos medio cerrados y examinó la carretera. No veía señales de patinazo, lo cual era un poco raro. Quizás la Sra. Adams había exagerado un poco sobre la gravedad de su accidente.

A continuación, buscó trozos de plástico de la luz trasera, pero como el viento soplaba por todas partes, no se sorprendió de no encontrar ningún pedazo en el camino. Se puso de rodillas y buscó por la hierba a lo largo de la carretera, cerca de la barrera de seguridad. Todo lo que pudo encontrar fue una moneda de cinco centavos de 1950, una lata de refresco, dos zapatos viejos de diferente número y una canica. Ningún trozo de la luz intermitente trasera rota.

Finalmente, se dio por vencido. Sentado en cuclillas, echó un vistazo a su alrededor preguntándose si se le había escapado algún detalle. El sol no se había puesto todavía, pero estaba oculto detrás de los pinos, al otro lado de la carretera. Zeke tembló y se subió la cremallera de su chaqueta. Estaba oscureciendo y el viento arreciaba por momentos. No le gustaba la idea de marcharse sin encontrar nada importante, pero tía Bee no quería que ninguno de los gemelos estuviera afuera con la bici cuando era de noche.

Regresó a su bici caminando, pateando la hierba al caminar. Esperaba ver el brillo de los trozos de plástico rojo y blanco. Algo le llamó la atención, pero cuando se inclinó para verlo, vio que sólo era un pedazo de metal oxidado. El sol se estaba ocultando detrás de los pinos y resultaba muy difícil ver algo.

De repente, el rugido del motor de un auto bramó detrás de él. Al darse la vuelta, Zeke sintió como si lo estuvieran filmando en cámara lenta. Dos inmensos faros resplandecientes habían cruzado la línea divisoria de la carretera y ¡se dirigían hacia él! Sin pensar, se quitó de en medio de un salto. Fue a parar a la hierba, torciéndose el tobillo derecho. Luego cayó al suelo. Un dolor agudo como un pinchazo le subió por la pierna.

En el último momento, el auto viró bruscamente y

se alejó haciendo chirriar las ruedas. Un segundo después había desaparecido.

Zeke se agarró el tobillo dolorido. "¿Qué voy a hacer ahora?" —se preguntaba. No podía montar en su bici para volver a casa, pero tía Bee lo mataría si se enteraba de lo que había pasado. Tenía que llegar a casa, por mucho que le doliera el tobillo.

Intentó calmarse, pero el corazón le latía con fuerza. Solamente una cosa le seguía martilleando la cabeza. Alguien había intentado matarlo. ¿Y si ese alguien regresaba para acabar su trabajo?

Sin pistas

Jen miró su reloj de nuevo, luego echó un vistazo a la enorme ventana de la cocina. Era casi de noche y ya hacía una hora que Zeke se había ido. Ya debería haber vuelto.

—¿Qué demonios estás haciendo? —preguntó tía Bee, mirando por encima del hombro de su sobrina.

Jen bajó la mirada a la masa que se suponía que estaba amasando, pero en vez de extenderla a un lado y al otro, golpearla con el puño y lanzarla a la mesa como se suponía que tenía que hacer, Jen había arrancado pequeños trozos y los hacía rodar para formar bolas del tamaño de canicas.

—Perdón —dijo Jen, intentando rápidamente volver a juntar la masa—. Supongo que me he distraído.

—¿Con qué?

—Zeke debería haber regresado ya —espetó Jen.

—¿Regresar de dónde?

—Fue... fue a la Curva del Muerto.

—¿A estas horas? —preguntó tía Bee, comenzando a desatar su delantal salpicado de dibujos de abejas—. Ya es casi de noche. Esa es una carretera peligrosa, especialmente durante la puesta de sol.

—Ya lo sé —dijo Jen, restregándose los dedos para quitarse la masa—. Estoy preocupada por él.

—Vamos. Mejor será que vayamos a buscarlo —diciendo esto, tía Bee agarró un enorme juego de llaves que colgaban de un gancho.

Jen salió corriendo detrás de ella. Subieron a la furgoneta y se abrocharon los cinturones. Bajaron zumbando la colina y siguieron el camino de la costa que conducía a la Curva del Muerto.

Mirando de reojo, Jen vio que su tía apretaba sus labios formando una línea delgada.

—Lo siento —dijo con una voz que apenas se podía oír por el ruido del motor.

—Ustedes saben perfectamente que no se debe ir por un camino tan peligroso como este al atardecer. Es la peor hora para los conductores porque la visibilidad es malísima.

Jen se agarró con fuerza a los lados de su asiento. Intentó concentrarse en Zeke, pero por más que lo hacía, lo único que sentía era un pinchazo repentino de dolor en su tobillo, algo que no podía significar nada. ¿O sí?

—¡Ahí esta! —gritó Jen cuando se acercaban a la Curva del Muerto.

Tía Bee frenó y con cuidado se desvió a un lado de la carretera, dejando las luces del auto encendidas para advertir a otros vehículos. Los faros iluminaron a Zeke que empujaba su bici, cojeando.

Jen y tía Bee se dieron prisa para reunirse con él.

—Zeke, ¿qué ha sucedido? —preguntó tía Bee.

—Es el tobillo, ¿verdad? —dijo Jen dándose cuenta de repente por qué ella había sentido el dolor en su tobillo cuando intentaba comunicarse mentalmente con su hermano.

—Me torcí el tobillo, pero no creo que esté roto —asintió Zeke con la cabeza.

—Vamos a llevarte a casa —dijo tía Bee. Ayudó a su sobrino a subir al auto mientras Jen le daba la vuelta a la bici. La colocaron en la parte de atrás y Zeke se tendió en el asiento trasero.

—Creía que no iban a venir —dijo una vez que estaban de nuevo en el camino.

—Vinimos tan pronto como Jennifer me dijo dónde estabas y que se te había hecho tarde —dijo tía Bee.

Jen miró a Zeke por encima del asiento. Sabían

que tía Bee estaba disgustada cuando usaba sus nombres completos.

Lenta y cuidadosamente, tía Bee fue desplazando el gran auto por las peligrosas curvas de la Curva del Muerto.

Jen se movía inquieta en el asiento delantero. Tenía la sensación de que algo más importante le había sucedido a Zeke. Eran demasiadas las preguntas que quería hacerle a su hermano, pero no quería hacerlas delante de su tía porque se preocuparía y les diría que no se metieran en problemas.

Se detuvieron en el Mercado de la Parada Rápida. Tía Bee entró en el estacionamiento y le dio a Jen algo de dinero.

—Nos queda poco helado.

De un salto, Jen salió del auto y entró en la tienda como una exhalación. Tomó un galón de helado de vainilla y lo llevó a la caja.

—Hola, Jen —le dijo el vendedor.

—Hola, Brian. ¿Te gusta tu nuevo trabajo? —Jen sonrió al hermano mayor de su mejor amiga.

—No está mal —dijo él, cobrándole la compra—. A veces es difícil marcharse de aquí puntualmente, pero me gustan los días de paga, de eso ¡no te quepa la menor duda!

Jen le sonrió y con la cabeza le dijo que no cuando

él le ofreció una bolsa de plástico con barras rojas, blancas y azules para el helado.

—Estoy intentando preservar el medio ambiente. Hasta luego, Brian.

De un salto, se metió en el auto y tía Bee partió para dirigirse a casa.

Jen contuvo la respiración cuando salvaron las cerradas curvas una vez más. Pero esta vez pudo mirar a su derecha el acantilado con la impenetrable oscuridad del océano que rugía abajo. Parecía que todos respiraban mejor una vez pasada la Curva del Muerto.

Cuando llegaron a la pensión, tía Bee les dijo seriamente antes de salir del auto:

—No sé en qué se están metiendo ustedes dos, pero quiero que tengan más cuidado. ¿Me entienden?

Zeke y Jen asintieron con la cabeza solemnemente.

Tía Bee ayudó a Zeke a entrar en la sala para que se pusiera hielo en el tobillo y cenara.

No fue sino después de la cena cuando Jen tuvo oportunidad de hablar con Zeke a solas.

—Y bien, ¿qué te sucedió allí? —le preguntó.

—Un auto casi me atropella. Me lastimé el tobillo cuando salté para esquivarlo.

—¿Qué? ¿Fue un accidente o alguien intentó atropellarte? —le preguntó ella.

—El auto se acercó mucho. Demasiado. O intentó

atropellarme o asustarme para que cayera por el acantilado —dijo Zeke moviendo la cabeza.

—Debes haber estado muerto de miedo.

—Naa —dijo Zeke—, no fue nada.

Jen miró a su hermano con los ojos medio cerrados. Zeke sonrió burlonamente:

—Bien, quizás un poco asustado —admitió riéndose—. Eso es lo malo de ser gemelo —añadió—, ¡no puedo hacer que nada te pase desapercibido!

Jen también se rió, dándose cuenta de lo aliviada que estaba de que su hermano hubiera regresado a casa, sano y salvo.

—Entonces, ¿qué quiere decir esto? ¿Por qué intentó alguien ma... hacerte daño? —Jen no pudo decir "matarte".

—No tengo ni idea —admitió Zeke—. Quizás sabemos algo que se supone que no debemos saber y uno de los huéspedes se está poniendo nervioso.

Pensaron un instante en silencio. Luego Jen preguntó:

—¿Cómo era el auto que intentó atropellarte?

—No lo sé —dijo Zeke—. Todo sucedió tan rápido... En el último instante vi que el auto se alejaba por la curva, pero iba demasiado rápido y estaba demasiado oscuro para que pudiera verlo.

—Eso quiere decir que pudo ser cualquiera.

—¡Oh, magnífico! Alguien está intentando deshacerse de nosotros porque sabemos demasiado, ¡y no tenemos ni una pista!

A la mañana siguiente, el tobillo de Zeke estaba mejor.

—Bien —dijo Jen—. ¿Puedes ayudarme a pintar las molduras?

—No sé si me siento tan bien como para hacer todo ese trabajo.

Jen le echó a su hermano una mirada fulminante.

—Te vas a sentir mucho peor si no me ayudas —lo amenazó.

—Oooh, mi hermanita me va a pegar.

Jen intentó pegarle, pero incluso con un tobillo ligeramente dislocado, Zeke era demasiado rápido. Dio un salto y se alejó riéndose.

Tía Bee los llamó al comedor y le asignó a Zeke un trabajo que podía hacer sentado, y a Jen le asignó las partes más altas.

Finalmente, acabaron el trabajo hacia el mediodía.

—¿Puedes guardar todo? —le pidió Zeke—. El tobillo me está doliendo de nuevo.

Jen miró a su hermano, tratando de averiguar si estaba intentando escabullirse del trabajo. Estaba un poco pálido.

—No te preocupes. Lo hago yo.

Reunió todos los botes de pintura y las brochas en una caja y al salir por la puerta trasera, se cruzó con el Sr. Mitchell que entraba. Pareció sobresaltarse al verla.

—¡Hola! ¿Puedo ayudarle en algo? —le dijo Jen sonriendo. No quería parecer entrometida, pero como la cara del Sr. Mitchell se puso roja, tuvo la sensación de que le había hecho una pregunta indiscreta.

—No, gracias —murmuró y se alejó rápidamente.

Jen se encogió de hombros preguntándose qué se traería entre manos y se dirigió hacia el cobertizo. Caminaba lentamente, con la cabeza inclinada, y al principio no vio a nadie en el estacionamiento, pero luego vio a la Sra. Adams hurgando en el maletero de su auto. Tras dejar la caja con un suspiro de alivio, Jen se aproximó.

—¿Necesita ayuda?

—¡Oh! Me has pegado un susto tremendo —gritó la Sra. Adams y cerró el maletero de golpe.

9
Toser hasta
morir

—Lo siento —dijo Jen—. No tenía intención de asustarla. Pensé que podría necesitar ayuda para sacar algunas cosas de su maletero.

—Oh, no. Simplemente estaba intentado ordenarlo un poco —dijo la Sra. Adams riendo entrecortadamente, todavía presionando una mano contra su garganta—. He comprado muchos recuerdos en las tiendas de aquí y quería ver si podré meter todos cuando me marche. Por supuesto —dijo bajando el tono su tono de voz—, tengo razones de sobra para creer que regresaré muy pronto.

—¿Va a conseguir el trabajo? —le preguntó Jen.

—No estoy del todo segura, pero tengo un buen presentimiento —dijo la Sra. Adams levantando las manos.

—Supongo que lo mejor será que vuelva a mi trabajo. Nos vemos luego —dijo Jen sonriendo y le señaló la caja de pinturas con la cabeza.

La Sra. Adams se despidió con la mano y se dirigió a la pensión.

Jen guardó la pintura en el cobertizo y encontró a Zeke en la cocina lavándose las manos.

—Todos han regresado de las entrevistas —dijo Jen—. Acabo de ver a la Sra. Adams en el estacionamiento. Ha comprado un montón de cosas en la ciudad y estaba intentando resolver cómo iba a colocar todo en su maletero. Todo lo que había allí era una caja de herramientas, de modo que tiene mucho espacio.

—¿Una caja de herramientas? —preguntó Zeke, secándose las manos—. ¿Por qué tiene una caja de herramientas en el maletero?

—¿Qué tiene de raro? —preguntó Jen, dándose la vuelta para lavarse las manos—. Tía Bee guarda la suya debajo del fregadero.

—Tienes razón. Supongo que ustedes las mujeres son todas raras —dijo Zeke encogiéndose de hombros.

Se rió, pero luego, en un repentino ataque de dolor, se estremeció:

—¡Ayyy! ¡Mi tobillo! No creo que pueda ayudarte a limpiar las habitaciones, Jen.

—Estás fingiendo —protestó ella.

—No, me duele de verdad —y se acercó a una silla cojeando.

—¡Ya te pillaré por esto! ¡Ya verás! —dijo Jen con la risa de su hermano resonando en sus oídos. Recogió los productos de limpieza y salió de la cocina.

Aunque los huéspedes acababan de finalizar un día de entrevistas extensas, la mayoría de ellos no estaba en sus habitaciones. En vez de seguir el estricto orden que Zeke había establecido cuando limpiaban, Jen decidió mezclar el orden de las habitaciones por puro gusto.

Como el Dr. Bowles había salido a caminar, Jen fue primero a su habitación. Mientras limpiaba silbando bajito, tenía la sensación de que algo no estaba bien, pero no sabía exactamente qué era. Se encogió de hombros, acabó y continuó con la siguiente habitación.

No fue hasta que estuvo barriendo el piso de la habitación de la Sra. Adams que Jen se dio cuenta de lo que había de raro en la habitación del Dr. Bowles. ¡Faltaba su caja tallada!

La Sra. Adams apareció justo cuando Jen estaba cerrando con llave la puerta de su habitación:

—¡Dios mío, sí que trabajas duro! —dijo la Sra. Adams.

—Esto forma parte de vivir en una pensión —respondió Jen—, pero en realidad, no me importa—. Luego se excusó y se fue por el pasillo. Arrastró el cubo a través del vestíbulo y se encontró con el Sr. Mitchell que se dirigía afuera para hacer ejercicio.

—Voy a limpiar su habitación —le dijo cuando salía—. ¿Le parece bien?

—Adelante —le dijo por encima del hombro—, pero no necesita de mucha limpieza—. Y cerró la puerta de entrada al salir.

Jen sonrió cuando atisbó la habitación. Ella era la única persona que podría estar de acuerdo con él, pero incluso para ella el desorden que había allí era un poco excesivo.

Dejó la puerta abierta y comenzó a barrer los lugares donde podía poner la escoba. Eso le llevó aproximadamente dos minutos puesto que casi no se veía el piso entre los zapatos, las revistas y la ropa.

Alguien tosió detrás de ella mientras fregaba el lavabo. Sobresaltada, Jen se dio media vuelta rápidamente y se encontró cara a cara con la Sra. Adams que estaba ligeramente inclinada.

—Oh, es usted —dijo con alivio, dándose cuenta de que tenía los nervios de punta. Estaba segura de que estaría mucho más relajada cuando hubieran resuelto este misterio.

La Sra. Adams tosió de nuevo, colocándose un gran pañuelo en la boca. Su cara se ponía más brillante que su cabello a medida que seguía tosiendo.

—¿Se encuentra bien? —preguntó Jen, comenzando a alarmarse.

La mujer dijo que no con la cabeza. Hubo algunas señales que pusieron a Jen en alerta.

—¿Ha... ha intentado alguien envenenarla?

—No —dijo con voz ronca—. Agua.

—¿Necesita un poco de agua?

La Sra. Adams asintió enérgicamente con la cabeza. Todavía un poco alarmada, Jen miró el vaso del lavabo del Sr. Mitchell. Tenía gotas de pasta dentífrica en un lado. "Puaj".

—Vuelvo enseguida —le dijo Jen.

Salió corriendo de la habitación y atravesó el comedor para llegar a la cocina. Agarró un vaso limpio y lo llenó con agua fría del grifo. Volvió corriendo a la habitación del Sr. Mitchell. La habitación estaba vacía, pero Jen escuchó que alguien tosía al fondo del pasillo. No fue difícil seguir el ruido de la tos hasta la habitación de la Sra. Adams.

Jen le entregó el agua.

El intenso color rojo de su cara comenzó a disminuir a medida que la Sra. Adams bebía. Llegó casi a la mitad del vaso y se quedó jadeante.

—Oh, gracias, cariño —dijo, tosiendo de nuevo, y acabó el agua—. Dios mío. Algo comenzó a hacerme cosquillas en la garganta y simplemente no me pasaba. ¡Pensé que iba a expirar!

—¿Como la fecha de un cartón de leche? —preguntó Jen desconcertada.

—En cierta forma. Expirar en este caso significa fallecer, morir —dijo la Sra. Adams riéndose.

Jen se estremeció.

—Bien, me alegro de que no lo hiciera, este... que no expirara —dijo Jen y se rió cuando Slinky salió pitando de debajo de la cama con el pañuelo de la Sra. Adams entre los dientes.

—¡Qué barbaridad! —dijo la Sra. Adams, pareciendo sobresaltada.

Jen agarró a la gata peluda.

—Gatita traviesa —dijo abrazando a Slinky—. Lo siento. Slinky es más curiosa que la mayoría de los gatos.

La Sra. Adams consiguió hacerle soltar su pañuelo y Jen lanzó a la gata afuera.

—Si usted cierra la puerta, no la molestará.

—Lo recordaré. Muchísimas gracias por el vaso de agua, querida. Mi vaso está lleno de flores. Me has salvado la vida.

—Es una de las tareas que hago por aquí —dijo Jen sonriendo burlonamente. Se apresuró a regresar a la habitación del Sr. Mitchell y acabó rápidamente con la limpieza. Hacía un lindo día y tenía ganas de jugar afuera al *softball* con Stacey.

Mientras subía, iba quitando el polvo del pasamanos. Recordando el plan que tenían ambos de inspeccionar el escenario de cada uno de los accidentes, Jen se agachó y observó la alfombra de la parte superior de las escaleras. La examinó detenidamente, pero no había ningún bulto ni rotura que pudiera haber hecho tropezar al Sr. Mitchell. Alguien debió haberlo empujado por las escaleras. O sucedió eso o lo fingió. Jen suspiró. No se encontraban ni siquiera cerca de poder resolver el misterio.

La Sra. Hartlet había dejado en su puerta una nota diciendo que no se la molestara. Jen permaneció un momento de pie junto a su puerta y se preguntó cómo pudo poner alguien una serpiente en su habitación. La rendija de debajo de la puerta no parecía lo suficientemente grande. La única posibilidad era que alguien hubiera metido una serpiente a través de la ventana de ventilación que había encima de la puerta. La casa era tan vieja que cada una de las puertas tenía pequeñas ventanas en la parte superior para que el aire pudiera circular por las habitaciones, incluso cuando las puertas estuvieran cerradas. Pero saber cómo lo habían hecho no ayudaba a descubrir quién lo había hecho.

Cuando llamó a la puerta del Sr. Crane, nadie respondió. Jen metió la cabeza, contenta al comprobar que la habitación estaba tan ordenada como siempre: ni un papel fuera de lugar. La limpieza no le llevó nada de tiempo.

Salió de la habitación arrastrando la escoba, el recogedor y el cubo con los productos de limpieza y cerró la puerta.

—¿Dónde está? —la voz de un hombre bramaba desde abajo—. ¿Quién se la llevó?

10
Escuchando a escondidas

Jen dejó todo y bajó las escaleras casi volando. Conocía solamente a una persona con esa voz grave.

En efecto, el Dr. Bowles estaba de pie delante de su habitación y su cara redonda estaba lívida de rabia.

—¡Alguien ha robado mi caja!

Para entonces, todos estaban en la pensión, excepto el Sr. Mitchell que estaba todavía afuera corriendo. Incluso Zeke había ido renqueando al vestíbulo para ver qué sucedía.

—Alguien ha robado mi caja de la habitación. ¡Tengo que encontrarla!

—¿Por qué alguien va a querer robarla? —preguntó Zeke a Jen en voz baja.

—Quizás porque es una antigüedad y vale mucho dinero.

—O quizás porque hay algo valioso dentro de la misma y es por eso que la mantiene cerrada.

Tía Bee dio unas palmaditas en el brazo del hombre enorme.

—Estoy segura de que la encontraremos —le dijo con voz tranquilizadora—. Todos podemos buscarla ahora mismo. ¿Qué le parece?

El Dr. Bowles describió el tamaño, color y el dibujo del dragón de la caja, e incluso las iniciales grabadas encima de la cerradura.

El Sr. Crane dijo que iba a buscar arriba, pero Zeke oyó que se metió en su habitación y cerró la puerta. Todos los demás se dispersaron para buscar la caja perdida.

Jen siguió a la Sra. Hartlet y a la Sra. Adams hasta el comedor. La Sra. Adams dijo en voz baja:

—No entiendo por qué hace tanto alboroto. Este hombre es tan despistado que probablemente él mismo la ha dejado en algún lugar.

Mientras las dos mujeres buscaban en el comedor, Jen revisó la cocina, sin esperanzas de encontrar la caja. Lo que encontró fue un montón de galletitas de mantequilla de cacahuate recién horneadas y se detuvo para aplacar los sonidos de su estómago.

Mientras tanto, Zeke entró cojeando en el salón. Sabía que Jen pensaba que estaba exagerando, pero sentía un dolor punzante en su tobillo. Buscar una caja robada no resultaba muy divertido.

Se sentó en el suelo para descansar. Woofer se arrastró hacia él, puso sus patas en los hombros de Zeke y lo empujó.

—Ya basta, Woofer —dijo Zeke sonriendo mientras el perro le lamía la oreja. Pero Woofer era demasiado fuerte para apartarlo de un empujón y demasiado testarudo para estarse quieto.

La lengua caliente y babosa de Woofer le hacía cosquillas y Zeke rodó por el suelo riéndose:

—¡Para, Woofer!

Zeke se retorcía procurando mantener su tobillo dolorido lejos de los torpes movimientos de Woofer, cuando divisó algo marrón y cuadrado debajo del sillón del rincón. Empujó al perro para quitárselo de encima y se arrastró hasta el sillón. Metió la mano debajo y sacó la caja del Dr. Bowles.

Jen entraba en ese instante en el salón.

—¡La has encontrado! —exclamó ella cuando vio lo que Zeke tenía en sus manos—. ¿Dónde estaba?

—Debajo de este sillón.

—Me pregunto quién la habrá ocultado ahí.

—¿Quizás el Sr. Crane? —sugirió Zeke.

—Pero ¿por qué iba a hacer eso? No tiene ningún sentido.

—Nada acerca de este caso tiene sentido.

—¡Desde luego! —dijo Jen poniendo los ojos en blanco. Luego gritó—: ¡La hemos encontrado!

Se oyó el retumbar de pisadas en dirección a la habitación. El Dr. Bowles irrumpió en el salón. Arrancó la caja de las manos de Zeke y examinó la cerradura con detenimiento.

—¿Dónde estaba? —preguntó el hombre.

—Debajo de ese sillón —Zeke señaló con el dedo.

—¡Oh! —por un instante, el Dr. Bowles pareció sorprendido. Luego se dio la vuelta y salió de la habitación abruptamente. Un momento más tarde lo oyeron gritar: "Gracias".

Los gemelos se sentaron en el sofá, con Woofer dormido a sus pies. Ahora que la caja había aparecido, la pensión estaba de nuevo tranquila. Demasiado tranquila. Jen sintió sueño. Justo cuando estaba por quedarse dormida, escuchó una voz que venía del vestíbulo. Ella y Zeke se miraron.

Jen se puso un dedo en los labios. Zeke articuló silenciosamente con los labios las palabras "Sr. Crane".

Asintiendo con la cabeza, Jen se levantó y caminó de puntillas hacia la puerta del salón para escuchar mejor.

—Todo se está viniendo abajo —dijo el Sr. Crane. Obviamente estaba hablando por el teléfono que estaba en la mesa del mostrador de la recepción. Ninguna de las habitaciones tenía teléfonos particulares.

Su voz se debilitó y Jen escuchó "La gente sospechosa...".

Entonces se acercó para escuchar mejor. Detrás de ella, Zeke se acercó saltando, pero pisó una tabla que rechinó como gato enfadado. Los gemelos se quedaron helados. La voz del salón se calló súbitamente.

Un momento más tarde el Sr. Crane dijo:

—Me tengo que ir. Yo también te quiero, querida.

Los hermanos oyeron el "clic" del auricular en su base. Rápidamente se apresuraron a regresar al sofá. Justo un segundo más tarde, el Sr. Crane metió la cabeza en la habitación.

—¿Ustedes dos siempre escuchan las llamadas particulares a escondidas? —y sin esperar una respuesta les dijo bruscamente—: Para su información, estaba hablando con mi esposa.

Jen y Zeke se dejaron caer en sus asientos cuando el Sr. Crane se marchó.

—Debe creer que somos un par de entrometidos —dijo Jen.

—Creo que eso no fue lo que tía Bee quiso decir cuando dijo que debíamos causar una buena impresión. Si el Sr. Crane es nuestro próximo director, ¡nos hemos metido en un buen lío!

—Tú lo has dicho.

—¿Pero crees que estaba realmente hablando con su esposa? —preguntó Zeke.

—Le dijo a alguien "Te quiero".

—Quizás solamente era para disimular. Todo lo demás parecía bastante sospechoso.

Mientras estaban sentados allí pensando, el Sr. Mitchell regresó de hacer ejercicio. Metió la cabeza en el salón y dijo:

—¿Me podrían dar algo frío para beber? Acabo de correr diez millas.

—Por supuesto. Le voy a traer algo de la cocina —dijo Jen levantándose de un salto.

El Sr. Mitchell la siguió. Jen le sirvió un gran vaso de agua y él se la bebió en menos de treinta segundos.

—¡Uf! ¡Qué rica! —dijo, limpiándose el sudor de la frente—. No hay nada como el agua para saciar la sed.

Jen abrió la boca para responder cuando se oyó un "crac" y el crujido de un vidrio que se rompía.

11

¡Márchese ahora o se arrepentirá!

El corazón de Jen iba más rápido que sus piernas al bajar al salón. El Sr. Mitchell la seguía de cerca, casi pisándole los talones. Los huéspedes estaban apiñados en el umbral de la habitación de la Sra. Adams. Jen se abrió campo a empujones para ver qué estaba sucediendo. Zeke ya estaba allí.

—¿Qué pasó? —dijo jadeando.

Zeke señaló con el dedo.

Sobre el piso había una pesa con un trozo de papel pegado con cinta adhesiva. Fragmentos de vidrio brillaban por todas partes. Con el corazón apesadumbrado, Jen se dio cuenta de que alguien había lanzado la pesa por la ventana de la Sra. Adams.

—Es del Sr. Mitchell —le comentó a su hermano.

—Obviamente alguien la ha lanzado —dijo Zeke asintiendo.

—Sí, pero ¿quién?

La Sra. Adams se sentó en una esquina de su cama cubriéndose la cara.

—¡Qué horror! —dijo llorando—. Es terrible.

—No se preocupe. Estoy segura de que llegaremos al fondo de todo esto —le dijo tía Bee intentando calmarla. Entonces tía Bee se acercó cautelosamente a la pesa y arrancó el pedazo de papel. Lo leyó en voz alta: "¡Márchese ahora o se arrepentirá!".

El Dr. Bowles se acercó.

—Déjeme ver eso.

Tía Bee le entregó la nota y él la examinó detenidamente antes de pasársela a la Sra. Hartlet que se la entregó al Sr. Crane. Todos pudieron echar un buen vistazo a la letra, excepto los gemelos. Cuando la nota dio la vuelta hasta llegar de nuevo a tía Bee, esta la metió en el bolsillo de su falda sin mostrársela a Jen y Zeke.

—¿Quién pudo hacer tal cosa? —decía la Sra. Adams sin dejar de llorar.

Todos se miraban unos a otros.

—¿De quién es esta pesa? —preguntó la Sra. Hartlet.

—Es mía, pero yo no la lancé por la ventana —dijo el Sr. Mitchell dando un paso hacia adelante.

—Alguien lo hizo —dijo el Dr. Bowles—. Y si es su pesa... —dijo dejando que su voz se apagara.

—Yo no lo hice —dijo el Sr. Mitchell apretando los puños—. Yo estaba en la cocina cuando oí que la ventana se rompía. ¿No es verdad? —dijo dirigiéndose a Jen.

—Él no pudo hacerlo —dijo Jen asintiendo.

—¿Cuando notó que le faltaba una pesa? —dijo la Sra. Adams usando su enorme pañuelo blanco para secarse los ojos—. Usted debe haberse dado cuenta de que había desaparecido.

Zeke se inclinó para acercarse a Jen y le susurró:

—¿Cómo hubiera podido notar algo en el desorden de su habitación?

Jen le dio a su hermano un codazo en el costado:

—Muy gracioso —le dijo cuchicheando, pero debía admitir que Zeke tenía razón. ¿Cuántas veces había "perdido" ella algo en su habitación cuando simplemente estaba oculto debajo de una sudadera o una pila de libros?

—Para mí ya es suficiente —dijo el Sr. Mitchell levantando las manos—. ¡Me marcho! ¡Estoy seguro de que hubiera conseguido el puesto, pero no merece la pena arriesgar la vida por ningún empleo! Esto es realmente ridículo—. Y diciendo esto, salió de la habitación.

Durante un instante nadie dijo nada. Entonces tía Bee aclaró su voz y dijo:

—Siento tanto que haya sucedido esto. No me explico cómo. ¿Quizás deberíamos llamar a la policía?

—Eso me parece una medida un poco extrema —dijo la Sra. Adams, adoptando una actitud tranquilizadora—. Nada de esto me asusta, pero yo comprendería si alguno de ustedes quisiera marcharse. El Sr. Mitchell está en lo correcto. Yo soy demasiado perseverante como para abandonar.

—¿Será posible que uno de nosotros esté haciendo todo esto? —preguntó la Sra. Hartlet, sujetando su cabello suelto en un moño.

—¿Quién más podría ser? —bramó el Sr. Crane—. Ahora, si me excusan, tengo que prepararme para la última ronda de entrevistas—. Se marchó sin decir nada más.

El Dr. Bowles y la Sra. Hartlet también se excusaron.

—¿Está segura de que se siente bien? —le dijo tía Bee a la Sra. Adams, dándole unas palmadas en la espalda. Cuando ella asintió, tía Bee le dijo—: Los gemelos recogerán los vidrios rotos e inmediatamente haré cerrar la ventana con tablas.

Cuando Jen iba por la aspiradora y una caja para poner los vidrios, Zeke levantó la pesa con cautela. Era realmente pesada y con su tobillo dolorido, le resultaba difícil arrastrarla lejos de los vidrios rotos. La

Sra. Adams no se ofreció a ayudarlos. Lo único que hacía era gimotear desde su cama.

Una vez que Jen y Zeke pusieron en la caja todos los trozos de vidrio que encontraron, Jen pasó la aspiradora por el piso para recoger los trozos pequeños.

Los gemelos salieron de la habitación llevándose consigo la pesa y la caja con los vidrios.

—Gracias, queridos —les dijo la Sra. Adams cuando se marchaban.

—¡No hay de qué! —dijo Zeke antes de cerrar la puerta.

—Mejor limpiamos los vidrios que cayeron fuera de la ventana —sugirió Jen.

—Como quieras —dijo Zeke encogiéndose de hombros—, pero creo que la mayor parte de los vidrios debe haber caído adentro por la fuerza del peso que rompió la ventana.

Dejaron la pesa en el mostrador de la recepción y salieron de la pensión. Caminaron alrededor de la casa y se detuvieron debajo de la ventana de la Sra. Adams que estaba en el primer piso.

—Te lo dije —dijo Jen triunfalmente, señalando los trozos de vidrio que brillaban a la luz del sol de la tarde—. Los pedazos de vidrio también pueden caer al otro lado.

—Te crees muy lista —dijo Zeke, tomándole el pelo a su hermana.

—No lo *creo*, lo *sé* —dijo Jen sonriendo burlonamente.

Recogieron el resto de los trozos de vidrio y los pusieron en la pila que había en la caja.

—Voy a llevar esto a los cubos —ofreció Jen cuando acabaron. Notó que a Zeke le estaba molestando de nuevo el tobillo.

—¡Gracias! —dijo Zeke lanzándole una sonrisa de agradecimiento.

Jen vio cómo se marchaba cojeando y llevó la caja a los cubos de reciclar que estaban a un lado de la casa, cerca de la basura.

Cuando doblaba la esquina, vio al Sr. Mitchell meter su última maleta en su maletero, cerrarlo de golpe, subirse al auto y pasar zumbando sin mirar hacia atrás. Jen sonrió. ¡Qué miedoso! Fingía ser tan bravucón, pero mira quién fue el primero en marcharse. ¡Por lo menos no tuvieron que ayudarle con todo su equipaje!

Tiró los vidrios en el cubo para recipientes de vidrio y puso la caja en el cubo de papeles. Slinky apareció de pronto y se abalanzó a su pie. Jen se echó a reír. La gata empezó a juguetear con un pedazo de plástico rojo antes de meterse entre los dos cubos. Un segundo más tarde, la gata jalaba una bolsa roja, blanca y azul que se había quedado atascada entre los cubos. Jen estaba a punto de meter la mano y ayudar a Slinky cuando escuchó que un auto entraba por la rampa detrás de ella. Saludó con la mano al detective Wilson que detuvo su jeep plateado.

—¿Lo ha llamado tía Bee? —le preguntó Jen cuando el detective Wilson estacionó su auto.

—Me pidió que cerrara una ventana con tablas. Alguien lanzó una pesa por la ventana —dijo asintiendo mientras caminaban juntos a la pensión.

—¡Sí! —Jen le contó lo que sucedió—. ¡Mire! —exclamó señalando el mostrador de la recepción—. El Sr. Mitchell no se llevó la pesa. Debía estar tan enfadado que se olvidó de ella.

—Hummm —murmuró el detective Wilson—. Me pregunto si podemos obtener huellas dactilares de esta pesa.

—¿Huellas dactilares? ¿Quiere decir huellas dactilares auténticas?

—¿Hay algún otro tipo? —dijo el detective Wilson riéndose—. Ahora bien, ¿la tocaron ustedes o cualquier otra persona?—. Se sujetó fuertemente las manos detrás de la espalda y miró más detenidamente la pesa envuelta en plástico.

Jen pensó durante un momento.

—Zeke la recogió y yo la puse aquí, pero no he visto que nadie más la tocara.

—¡Magnífico! —asintió el detective Wilson—. Entonces, si encontramos las huellas de alguien aparte de las tuyas, las de Zeke y las del Sr. Mitchell, ¡encontraremos al culpable!

12
En busca
de huellas

—¡Ah! ¿Es así de fácil? —preguntó Jen.

—No necesariamente —admitió el detective Wilson—, pero es una buena forma de comenzar.

—¿Una buena forma de comenzar qué? —preguntó Zeke, entrando de un salto en el vestíbulo.

—¿Qué te ha pasado a ti? —dijo el detective Wilson frunciendo sus pobladas cejas.

Zeke agitó la mano como si no fuera nada. Luego le contó al detective que había ido en bici a la Curva del Muerto.

—¡Esto no me gusta nada! —dijo el detective Wilson todo pensativo cuando Zeke acabó su historia—. Mientras más pronto averigüemos quién está haciendo esto, mejor. Comencemos por las huellas dactilares.

—Bueno, ¿cómo se ven las huellas dactilares? —dijo Jen mientras miraba de cerca la pesa.

—No se las ve si no se pasa un polvo especial sobre el objeto. Entonces, de pronto, las huellas dactilares aparecen por todo el objeto —le explicó el detective Wilson.

—Empecemos —dijo Zeke—. ¿Qué tipo de polvo usamos?

—Eso podría ser un problema —dijo el detective, rascándose la barbilla—. La policía usa un polvo especial para tomar huellas dactilares. Es muy fino y viene en diferentes colores. Además, se hace a base de diferentes productos químicos, según dónde se quieran obtener las huellas.

—¿Quiere usted decir que utilizan un polvo diferente para el vidrio y otro para el papel? —preguntó Zeke.

—Exactamente.

—¿Polvo como el polvo de talco?

—Oh, no —dijo el detective Wilson—. Ese no es lo suficientemente fino, pero nosotros podemos hacer nuestro propio polvo para huellas dactilares con carbón.

—¿Cómo? —preguntó Zeke.

—Tenemos que moler el carbón para hacer un polvo muy fino, ¿no es cierto? —preguntó Jen.

—Sí.

—Podríamos usar un mortero —añadió ella—. Tía Bee tiene uno en la cocina para triturar nueces.

—Perfecto —dijo sonriendo el detective Wilson—. También necesitamos un pincel muy suave y sedoso, cinta adhesiva transparente y una hoja de papel blanco.

—Voy a buscar todo —dijo Jen ofreciéndose.

—Nos vemos en la cocina.

Jen se marchó y el detective Wilson sacó de su bolsillo un gran pañuelo. Zeke observó cómo el detective Wilson usaba el pedazo cuadrado de tela roja para recoger la pesa.

—De esta forma no la contaminaremos con mis huellas —explicó mientras iban a la cocina y esperaban a que Jen regresara.

Jen vino con las manos llenas y se reunió con ellos en la mesa de la cocina. Había encontrado afuera un trozo de carbón de una fogata. Luego levantó triunfalmente la enorme brocha suave y sedosa que también había encontrado.

—Un pincel para colorete.

—Buena idea —dijo Zeke—. ¿De dónde lo has sacado?

—Uh, las cosas de maquillaje de tía Bee —dijo tragando saliva—. Apenas lo usa y es para una causa muy buena. Un poco de carbón no dañará la brocha, ¿verdad?

Llevó el mortero a la mesa, y Zeke procedió a triturar un trozo de carbón para hacer polvo fino. Jen se inclinó hacia adelante para inspeccionar su trabajo.

—Tiene buen aspecto —dijo Jen. Entonces, un repentino cosquilleo en su nariz derivó en un estornudo. Todo el polvo negro del mortero salió por el aire como si fuera una explosión. Jen estornudó de nuevo.

—Mira lo que has hecho —dijo Zeke gritando. Tenía las manos y los brazos cubiertos de polvo de carbón.

—El polvo te hace estornudar —dijo el detective Wilson sonriendo—. Mejor será que te alejes un poco.

Zeke dio un suspiro más profundo, miró a su hermana y comenzó a moler otro trozo de carbón. Esta vez acabó sin que nadie estornudara.

Con mucho cuidado y utilizando el pincel para colorete, el detective pasó el polvo fino por la pesa. Zeke contuvo el aliento. En unos segundos sabrían quién estaba detrás de todos estos accidentes peligrosos.

En efecto, cuando el detective Wilson pasó el pincel suave por el plástico, el fino polvo negro se quedó aferrado a unas huellas dactilares borrosas. Zeke se acercó para mirar detenidamente las huellas. Sabía cómo eran las huellas dactilares y estas marcas sólo parecían manchas negras.

—¡Ajá! —exclamó el detective Wilson.

Jen y Zeke se acercaron aún más.

—¿Qué? —dijeron al mismo tiempo.

El detective Wilson explicó que casi ninguna de las manchas era buena, tal como Zeke había pensado, pero en un extremo de la pesa había una huella dactilar perfecta.

Cortó un trozo de cinta adhesiva transparente y la apretó contra la pesa, cubriendo perfectamente la huella negra. Entonces levantó la cinta suavemente.

—Si no se hace esto con cuidado —explicó el detective Wilson—, se forman líneas que obstaculizan la identificación de las huellas dactilares—. Cuidadosamente pegó la cinta en un papel blanco.

Después de tomar la primera huella, cepilló otra parte de la pesa. Encontraron otras cuatro huellas perfectas. Pero después de un examen más detenido todos estuvieron de acuerdo en que dos de ellas se parecían exactamente a la primera que habían obtenido. Las otras dos eran diferentes por lo que las tomaron y las pegaron junto a la primera en la hoja de papel. Las otras dos huellas eran mucho más pequeñas que las primeras.

El detective golpeó con cuidado el pincel en una esquina de la mesa.

—Me temo que estas huellas no nos van a ayudar mucho después de todo.

—¿Por qué no? —preguntó Jen.

—Las huellas más grandes son todas las mismas, ¿verdad?

Jen y Zeke asintieron.

—Creo que comprobaremos que esas huellas son del Sr. Mitchell. Y que las otras dos huellas más pequeñas son de ustedes. Podemos tomarles a ustedes las huellas dactilares para estar seguros, pero les apuesto el próximo pastel de manzanas de su tía a que tengo razón.

Zeke sintió que se esfumaban todas sus esperanzas.

Jen salió rápidamente de la cocina y regresó sujetando un vaso con una servilleta.

—El Sr. Mitchell usó este vaso para beber agua. Comparemos las huellas de aquí con las huellas que ya tenemos.

Tomaron las huellas dactilares y, en efecto, coincidían exactamente. Entonces, los dos gemelos se tomaron las huellas y comprobaron que las huellas más pequeñas eran suyas.

—Quien haya lanzado esto por la ventana seguramente tenía guantes —dijo Zeke suspirando.

—La Sra. Hartlet tenía guantes en su habitación —Jen interrumpió toda exaltada—. ¡Y estaba muy nerviosa en la habitación de la Sra. Adams!

—Eso no quiere decir que sea culpable —les recordó el detective Wilson a los gemelos—. Alguien pudo haber usado una toalla de papel o un trapo. Cualquier cosa para no dejar huellas dactilares en la pesa. Me temo que hemos perdido el tiempo.

—En realidad, no —dijo Jen con una sonrisa burlona—. Ahora ya sé cómo tomar huellas dactilares, así sabré si Zeke se lleva algunos de mis discos compactos sin pedírmelos.

—Te engañaré —sonrió Zeke. Y levantó las manos moviendo los dedos—. ¡Guantes!

—Hoy en día los criminales son demasiado listos —dijo Jen riéndose.

—En realidad, no —dijo el detective Wilson—. Sería lógico pensar que siempre llevan guantes para no dejar huellas dactilares, pero muchas veces, los criminales se olvidan de cubrirse las manos.

—No en este caso —dijo Zeke con pena.

El detective Wilson se levantó.

—Será mejor que vaya a poner tablas en esa ventana de su tía. Me ha prometido pagarme con un pedazo extra grande de pastel.

Unos minutos más tarde, tía Bee encontró a los gemelos limpiando el polvo de carbón de la mesa de la cocina.

—¿Es ese mi pincel para colorete? —preguntó examinando la mesa—. ¿Y mi mortero? ¿Por qué está todo negro?

Ellos le explicaron lo que habían hecho y prometieron limpiar todo.

—Eso espero —les dijo seriamente—. ¿Y dio buen resultado?

—La toma de huellas dactilares sí, pero no descubrimos al culpable —explicó Jen.

—Quizás si tuviéramos la nota —dijo Zeke— podríamos analizar la letra.

—No lo creo —dijo tía Bee, escarbó en el bolsillo de su falda y sacó un trozo de papel que colocó en la mesa frente a los gemelos.

Zeke y Jen se quedaron mirándolo. Efectivamente la nota era amenazante, pero tía Bee no bromeaba cuando les dijo que no podrían analizar la letra.

—¡Márchese ahora o se arrepentirá! —leyó Jen—. ¡Todas estas letras han sido recortadas de revistas!

—Esto pudo hacerlo cualquiera —añadió Zeke con un gemido.

—Ahora, ¿qué debemos hacer? —dijeron los gemelos flaqueando.

13

Sin la menor pista

—¡El Sr. Mitchell! —exclamó Zeke.

—¿Qué pasa con él? —dijo Jen mirando a su hermano—. Se ha ido. Lo vi marcharse.

—¿No recuerdas todas las revistas que había en su habitación?

—¡Es cierto! —Jen se detuvo y pensó un momento—. Pero eso no tiene sentido. Recuerda que estaba conmigo en la cocina cuando alguien lanzó la pesa por la ventana de la Sra. Adams —Jen movió la cabeza llena de dudas—. No creo que haya sido el Sr. Mitchell, pero supongo que tampoco deberíamos descartarlo totalmente.

Zeke recogió la nota y la miró como si ahí fuera a encontrar respuestas.

—¡Las revistas que tía Bee tiene en el salón para los huéspedes! ¡Eso es! —se puso de pie de un salto—.

¡Ay! Me había olvidado de mi tobillo—. Salió de la cocina renqueando, atravesó el comedor y se fue al salón. —Estuve arreglándolas hace poco y me di cuenta de que había algunas páginas cortadas. Miren—. Hojeó el número más reciente de *B&B Life*. Algunas páginas estaban cortadas cuidadosamente, otras las habían arrancado.

—Pero pudo ser cualquiera porque todos tienen acceso a estas revistas —dijo Jen frunciendo el ceño—. Cada vez que tenemos una buena pista, regresamos de nuevo al comienzo.

Se desplomaron en el sofá. Woofer se acercó tranquilamente y recostó su gran cabeza peluda entre ellos.

—¿Y ahora qué? —le dijo Jen riendo y alborotó el pelo que caía sobre los ojos de Woofer.

—Supongo que deberíamos hacer fichas de los sospechosos para intentar averiguar qué está ocurriendo.

Los gemelos fueron a la torre del faro para que nadie los viera y se acomodaron en la cama de Jen. Escribieron fichas con sospechas sobre cada uno de los huéspedes.

Faro de Mystic

Ficha de sospechosos

Nombre: Sra. Adams

Motivo: Quiere el trabajo

Pistas: 1. Un auto rojo casi la empuja por el acantilado. ¿Quién lo hizo?

2. NO QUISO LLAMAR A LA POLICÍA.

3. ¿Por qué estaba husmeando en la habitación del Dr. Bowles?

4. ¿FUE ELLA LA QUE ESCONDIÓ LA CAJA DEL DR. BOWLES EN EL SALÓN? QUIZÁS LA VIO CUANDO ESTUVO HUSMEANDO EN LA HABITACIÓN DEL DR. BOWLES, PERO ¿PARA QUÉ LA QUERÍA?

5. LA PESA CON UNA NOTA FUE LANZADA A TRAVÉS DE SU VENTANA.

Faro de Mystic

Ficha de sospechosos

Nombre: Dr. Bowles

Motivo: Quiere el trabajo

Pistas: 1. No tiene miedo a las serpientes y tiene un anillo con una serpiente. ¿Habrá sido él quien puso la serpiente en la habitación de la Sra. Hartlet?

2. ¿Estuvo afuera hasta tarde y abrió la puerta lateral para meter la serpiente a escondidas?

3. ¿Encontró en realidad el maletín del Sr. Crane o fue él quien lo ocultó entre los arbustos?

4. ¿Qué hay en la caja que cierra con llave? ¿Y por qué hay iniciales extrañas en la caja?

5. ¿Demasiado alegre para ser creíble?

Faro de Mystic

Ficha de sospechosos

Nombre: Sr. Crane

Motivo: Quiere el trabajo

Pistas: 1. Fue quien dijo que sólo uno de ellos conseguiría el trabajo.

2. ¿QUIÉN ROBÓ SU MALETÍN?

3. Conversaciones telefónicas muy sospechosas.

4. Parece nervioso, como si estuviera tramando algo. Muy mezquino con todo el mundo.

5. SU HABITACIÓN ESTÁ ARRIBA. PUDO HABER EMPUJADO AL SR. MITCHELL POR LAS ESCALERAS.

6. ¿Estaba hablando realmente con su esposa y diciéndole que todo el mundo era sospechoso o fingió al decir "yo también te quiero, querida", sólo para despistarnos?

 Faro de Mystic

Ficha de sospechosos

Nombre: Sra. Hartlet

Motivo: Quiere el trabajo

Pistas: 1. Parece muy nerviosa.

2. Su habitación está arriba. ¿Habrá sido ella quien empujó al Sr. Mitchell por las escaleras?

3. Tenía guantes por lo que pudo haber agarrado la pesa sin dejar huellas dactilares. Pero ¿cómo se metió en la habitación del Sr. Mitchell?

4. ¿Qué decía la carta que recibió? ¿Por qué la rompió? ¿Y por qué la parte que encontró Jen decía: Haz lo que haga falta para conseguir el trabajo? ¿Significaba eso herir e incluso matar a los otros para quitárselos de encima?

Faro de Mystic

Ficha de sospechosos

Nombre: Sr. Mitchell

Motivo: Quiere el trabajo

Pistas: 1. ¡Tiene un auto abollado!

2. ¿Lo empujaron realmente por las escaleras? ¿O tropezó? ¿O fingió?

3. ¿Y por qué estaba arriba? Dijo que estaba buscando su cronómetro, pero ¿estaba en realidad espiando? ¿O estaba allí arriba para poner la serpiente en la habitación de la Sra. Hartlet y ella simplemente no la vio hasta el día siguiente?

4. ¿Era de él la pesa que tiraron por la ventana de la Sra. Adams?

5. Se marchó del escenario de todos los crímenes, pero ¿por qué si tanto quería el trabajo?

—Esto es imposible —dijo Jen con un resoplido de disgusto—. Nunca averiguaremos lo que está sucediendo.

—Desde luego —respondió Zeke con los hombros caídos—. Creo que nos falta una pista realmente importante.

—Pero ¿cuál?

—No lo sé, pero si pudiéramos encontrar algo, apuesto que todo encajaría en su lugar.

Se sentaron silenciosamente durante un minuto, entonces Jen dijo lentamente:

—Tenemos que volver al comienzo, a la Curva del Muerto.

Zeke tragó saliva. Casi ya no sentía punzadas en el tobillo, pero el pensamiento de lo que le pudo haber pasado le oprimía la garganta.

—A tía Bee no le va a gustar —dijo Zeke, sabiendo que esto no iba a detener a su hermana gemela.

—Le diremos simplemente que vamos al Mercado de la Parada Rápida.

—Muy bien —dijo Zeke a regañadientes. Aunque sabía que si se enteraba, a tía Bee no le iba a gustar nada, también sabía que esa era la única forma de llegar al fondo del asunto.

Quince minutos más tarde estaba pedaleando por

la primera curva de la Curva del Muerto. Se alejó tanto de la carretera que casi se da de cabeza contra un pino.

—¡Mira por dónde vas! —le gritó Jen.

Saltaron de las bicis y las dejaron en el arcén para cruzar la carretera corriendo. Jen miró a su alrededor con las manos en las caderas.

—¡Qué raro! —dijo.

—¿Qué?

—¿Dónde están las huellas del frenazo?

—Yo también lo noté —admitió Zeke—, pero pensé que no tenía importancia. Probablemente la Sra. Adams exageró su accidente. Después de todo, solamente se abolló el guardafangos.

—Si ni siquiera se abolló el guardafangos. Solamente le rompió la luz trasera —señaló Jen.

—Sabes, no pude encontrar ninguna de las piezas de la luz trasera —dijo Zeke frunciendo el ceño.

—¿Qué quieres decir? —preguntó Jen buscando algo.

—Vimos que la luz trasera de su auto estaba rota, ¿verdad?

Jen asintió con la cabeza.

—No encontré ningún pedazo la última vez que estuve aquí, y no hay ninguno ahora, ¿verdad?

Jen dijo que no sacudiendo la cabeza.

De repente, escucharon el rugido de un motor y el chirrido de unos neumáticos. Un auto entró disparado por la cerrada Curva del Muerto.

—¡Cuidado! —gritó Zeke.

Nota al lector

¿Has averiguado quién está detrás de todos los accidentes? Está claro que uno de los candidatos para el puesto de director quiere que su competencia se marche asustada, pero ¿quién?

Si revisas este caso detenidamente, encontrarás pistas importantes que a Jen y Zeke se les han ido escapando.

Hazlo con calma. Revisa detenidamente las fichas de los sospechosos. Cuando creas que tienes la solución, lee el último capítulo para averiguar si Jen y Zeke son capaces de reunir todas las piezas para resolver *El Misterio de la Curva del Muerto*.

¡Suerte!

Solución

¡Otro misterio resuelto!

Zeke tomó a Jen del brazo y la empujó al arcén de la carretera, cerca de la barrera de seguridad. El auto pasó volando por el otro lado de la carretera, rechinando al doblar la última parte de la Curva del Muerto. El ruido del motor se seguía oyendo incluso cuando el auto se perdió de vista.

—¿Por qué has hecho eso? —preguntó Jen, restregándose el brazo por donde Zeke la había agarrado.

—Sólo para salvarte la vida —le contestó Zeke fulminándola con la mirada—. ¿No me lo vas a agradecer? Ese conductor maníaco estaba intentando matarme de nuevo.

—¿Quieres decir que era el mismo auto que intentó golpearte? —dijo Jen abriendo los ojos desmesuradamente.

—Estoy seguro —dijo Zeke.

—Pero creí que no pudiste verlo bien. ¿Cómo puedes estar seguro?

—Por el sonido del motor. Debe haber un gran agujero en el silenciador del auto y por eso suena tan fuerte. Estoy segurísimo de que era el mismo.

Jen se reía. No podía evitarlo.

—Veremos si intento salvarte la vida de nuevo —le dijo mirándole con el ceño fruncido. Como no dejaba de reírse, Zeke le preguntó qué era lo que le parecía tan gracioso.

—Luego te lo digo, te lo prometo —añadió Jen mientras Zeke fruncía el ceño aún más—. Digamos que parte de este misterio está resuelto. Pero eso no ayuda para nada con la luz trasera que falta —dijo mirando alrededor de sus pies.

—Es como si el accidente nunca hubiera sucedido —dijo Zeke reflexionando en voz alta.

Los gemelos se quedaron como paralizados cuando se dieron cuenta del comentario de Zeke. Jen chasqueó los dedos.

—¡La caja de herramientas de la Sra. Adams!

Zeke sabía exactamente lo que su hermana estaba pensando.

—Un martillo.

—La misma Sra. Adams rompió el faro trasero de su auto. ¡Fingió el accidente! —exclamó Jen.

—Seguramente paró en algún sito para golpear su propio auto.

—Ya lo tengo —dijo Jen por encima de su hombro. Cruzó corriendo la carretera y subió de un salto a su bicicleta—. ¡Vamos!

Zeke siguió a Jen a toda velocidad hasta el Mercado de la Parada Rápida. Con cada pedaleo que daba con su tobillo dolorido hacía un gesto de dolor, pero tenía que pedalear rápido. Entraron corriendo en la tienda, y Jen fue directamente a la caja donde Brian, el hermano de Stacey, estaba atendiendo a un cliente. Cuando este se marchó, Jen le dijo:

—¡Hola, Brian! ¿Estuviste trabajando aquí el domingo pasado?

—¡Sí! ¿Por qué?

—¿Recuerdas si atendiste a una señora pelirroja muy alta con el pelo brillante?

—¿Con pelo crespo, como el de un payaso? —preguntó Brian de inmediato.

—¡Sí!

—Desde luego que me acuerdo de ella. Era un poco rara. Me pidió una bolsa, pero cuando le dije que no se la podía dar si no compraba nada, compró al para que le diera una.

—¿Un cepillo y pasta dentífrica? —preguntó Zeke.

—Algo así —asintió Brian.

Los gemelos se miraron y sus ojos azules brillaron de entusiasmo.

—Recuerdas a Slinky y cómo... —comenzó diciendo Jen.

—Estuvo jugando con ese trozo de plástico rojo —acabó Zeke la frase.

—La Sra. Adams puso la luz trasera en la bolsa y la tiró, pero Slinky la encontró.

—La Sra. Adams simuló todo el accidente.

—Si encontramos esos trozos de plástico, ¡lo podremos probar!

—¡Eh! ¿qué sucede? —interrumpió Brian.

—¡Oh, nada! —dijo Jen intentando parecer despreocupada aunque por dentro daba saltos de emoción—. A propósito —continuó cambiando el tema—, ¿llegaste hoy casi tarde al trabajo?

—No lo digas en voz alta —dijo Brian—. El gerente dijo que estoy despedido si llego tarde una vez más. Y necesito dinero para arreglar el silenciador de mi auto.

Zeke se quedó con la boca abierta y Jen se rió.

—¿Manejas un auto verde viejo? —preguntó Zeke.

—¡Sí! ¿No les parece magnífico? —dijo Brian sonriendo.

—¡Magnífico? —prorrumpió Zeke—. Casi me matas. ¡Dos veces!

—Pero ¿de qué hablas?

Jen le explicó rápidamente cómo sus ruedas chirriantes y su silenciador roto habían asustado a Zeke en la Curva del Muerto.

—¿Pensaste en realidad que te iba a empujar por el acantilado? —le preguntó Brian a Zeke, todo avergonzado—. Admito que iba a mayor velocidad de la debida, pero mis ruedas tienen poco aire y por eso chirrían. Y te acabo de contar lo del silenciador. De verdad, siento haberte asustado.

—No estaba asustado —dijo Zeke, enderezando los hombros—. Simplemente... preocupado.

—Tenemos que marcharnos —dijo Jen rápidamente y salió de la tienda asegurándose de que Zeke venía detrás de ella.

Cuando llegaron a la pensión, fueron directamente a los cubos de basura. Como era de esperar, allí estaba Slinky sentada sobre una bolsa de barras rojas, blancas y azules del Mercado de la Parada Rápida, como si estuviera esperándolos. Jen recordaba cómo Slinky había estado jugando con la bolsa, pero no había establecido la conexión. Jaló la bolsa que estaba debajo de la gata y la examinó. Se la dio a Zeke sin decir palabra.

Zeke escudriñó todos los trozos de la luz trasera destrozada. La bolsa tenía una pequeña rotura por donde seguramente se salieron un par de trozos de plástico con los que Slinky se puso a jugar.

—Pero ¿por qué? ¿Por qué quería fingir la Sra. Adams?

—¡Ahora entiendo la razón de todos esos accidentes! —dijo Jen dando un chasquido con los dedos—. Estaba intentando ahuyentar a todos de las entrevistas del trabajo. Pero si no le hubiera sucedido nada a ella, habría sido sospechoso.

—Por lo tanto, fingió que el primer accidente le sucedió a ella —continuó diciendo Zeke—. De esa forma, cuando las cosas comenzaran a sucederles a los otros candidatos, ella no parecería culpable.

—Por eso debe ser que su abolladura no está oxidada, pero la del Sr. Mitchell sí lo estaba porque era de un accidente anterior.

—Ahora todas las piezas están empezando a encajar —dijo Zeke.

—La Sra. Adams tuvo un acceso de tos y me pidió que le consiguiera un vaso de agua —dijo Jen, después de pensar durante un momento.

—¿Y?

—¡Yo estaba limpiando la habitación del Sr. Mitchell en ese instante! Y cuando regresé para darle el agua, ella ya estaba de nuevo en su habitación. ¡Fue en ese momento cuando robó la pesa!

—Pero ¿qué hay de sus huellas dactilares?

—¡Tenía un pañuelo! Pensé que era porque estaba tosiendo, pero probablemente lo usó para recoger la pesa.

—¡Perfecto! —exclamó Zeke—. ¿Y recuerdas cómo yo dije que no debería haber muchos cristales fuera de su ventana porque la pesa había sido lanzada hacia adentro y no hacia afuera?

—Y tú estabas tan sorprendido cuando viste que yo tenía razón —Jen asintió—. ¡Pero en realidad, estaba equivocada! La Sra. Adams debe haber usado la pesa o alguna otra cosa pesada para romper la ventana desde adentro. Entonces, rompió los pedazos y dejó caer los vidrios en su habitación para que no despertar sospechas.

—Es realmente astuta.

—¿Pero cómo podemos probarlo? —preguntó Jen.

—Con huellas dactilares.

—Pero si no había ninguna huella en la pesa —protestó Jen.

—¿Y esto? —dijo Zeke sacando una nota de su bolsillo.

Entraron en la casa y armaron un laboratorio para

tomar huellas dactilares en la mesa de la cocina. Luego espolvorearon y vieron que estaba cubierta de huellas.

—Acabo de acordarme de que la nota circuló por toda la habitación. Todos la tocaron —gimió Zeke.

Jen comenzó a decir algo, pero el polvo del carbón le produjo cosquillas en la nariz. Aunque intentó detenerlo, le salió un enorme estornudo e hizo saltar el polvo por todos lados. Con su segundo estornudo, la nota salió volando.

—¿Has visto eso? —preguntó Jen, intentando no estornudar de nuevo.

Zeke estaba quitándose con el cepillo el polvo negro de su camisa.

—¿Visto qué? —contestó de mal humor.

—Mira —dijo Jen soplando la nota ligeramente. La letra O de la palabra CONTRARIO se movía un poco. La mayor parte de las letras estaban bien pegadas pero esta O, la letra más grande de la nota, estaba pegada solamente en la parte superior.

—¡Huellas dactilares! —a Zeke se le iluminó el cerebro.

Con mucho cuidado, espolvorearon el reverso de la O. Efectivamente, apareció una única huella. Zeke la levantó cuidadosamente con cinta adhesiva y la fijó en un trozo limpio de papel blanco.

—¿Estás seguro de que la has levantado suavemente? —dijo Jen inspeccionando la huella.

—Desde luego —dijo Zeke.

—Entonces, ¿qué es esta línea que cruza la yema del dedo? —le pasó el papel para que Zeke pudiera examinarlo.

—Parece un corte o una cicatriz.

—¿Sabes qué dedo es?

Zeke dijo que no con la cabeza.

—Parece más pequeño que un pulgar y más grande que un meñique, pero aparte de eso, no tengo ni idea.

Jen tomó un trozo de papel e hizo como si lo estuviera recortando, puso una gota de pegamento en la parte de atrás y lo colocó como si fuera a pegarlo en otro trozo de papel.

—¿Has visto eso? —le preguntó a su hermano cuando terminó de hacerlo.

—Sí, ¿pero qué es lo que quieres decir?

—Es este dedo —Jen le mostró el dedo índice—. Y... —levantó la mano para evitar que su hermano le interrumpiera—. Y la Sra. Adams tiene una cicatriz en el mismo dedo porque se cortó el día que llegó. Ayer me enseñó lo bien que se le estaba curando. ¡Tiene una cicatriz delgada que le cruza el dedo como en esta huella dactilar!

—¿Qué están haciendo ustedes dos? —les preguntó el detective Wilson, inclinándose sobre la mesa. Los gemelos saltaron.

—Hemos descubierto a la culpable de todos los accidentes —anunció Zeke.

Atropelladamente e interrumpiéndose uno al otro, los gemelos le contaron al detective toda la historia, incluyendo todas las pistas que en un principio habían pasado por alto.

—Debe ser ella —dijo Jen—. Pero ahora ¿qué hacemos?

—Ustedes ya han hecho suficiente. En realidad, han hecho un trabajo excelente —dijo el detective Wilson asintiendo pensativamente—. Iré a hablar con la Sra. Adams. Quédense aquí. Se podría poner peligrosa.

Jen y Zeke deseaban ir con él, pero una mirada severa por debajo de sus cejas pobladas los contuvo.

Como el detective Wilson no regresó de inmediato, los gemelos se inquietaron. Primero limpiaron todo el desorden, luego se acomodaron en el salón, aguzando los oídos para escuchar cualquier cosa del fondo del pasillo.

Parecía como si todos los demás supieran que algo estaba sucediendo. Muy pronto, todos los huéspedes, e incluso tía Bee, se sentaron en el salón. Finalmente el detective jubilado regresó.

—Se ha marchado —dijo sacudiendo la cabeza—. Lo admitió absolutamente todo. Ustedes dieron justo en el clavo.

—Así que ella fingió su accidente —dijo Jen.

—Y también todo lo demás. Incluso fingió que no le gustaban las serpientes y puso una en la habitación de la Sra. Hartlet.

—¡Qué mujer más terrible! —dijo la Sra. Hartlet estremeciéndose.

Jen y Zeke continuaron explicando cómo descubrieron que la Sra. Adams era la culpable.

—Pero —admitió Zeke— algunas de las cosas que anotamos en nuestras fichas de sospechosos todavía no están claras. Por ejemplo —dijo dirigiéndose al Dr. Bowles—, la primera noche que usted estuvo aquí, llegó tarde. ¿Qué estuvo haciendo?

—Tiendo a ser un poco despistando, no sé si lo habrán notado —dijo el Dr. Bowles sonriendo tímidamente—. No me acordaba si había apagado las luces de mi auto cuando llegué, por eso fui afuera a mirar. E incluso antes de que ustedes me pregunten, tengo que admitir que bajé mi caja de pastillas para buscar mi medicina y olvidé que la había dejado debajo de mi silla. Siento haber acusado a alguien de habérmela robado.

—¿Su caja de pastillas? —dijo Jen—. ¿Quiere decir que la caja con el dragón tallado está llena de pastillas?

—Tomo medicamentos porque tengo hipertensión, colesterol elevado, alergias y migrañas. Guardo la caja cerrada con llave porque cuando mis nietos me visitan, no quiero que estén a su alcance.

—¡Tiene muchos males! —exclamó Jen sin pensar.

—¡Ya lo creo! —dijo sonriendo el Dr. Bowles—. Todo es a causa del estrés. Ahora trato de tener una actitud positiva. Parece que cuanto más feliz estoy, menos dolencias tengo, pero debo admitir que no es fácil estar alegre todo el tiempo.

—Eso explica muchas cosas —sonrió Zeke—. Pero ¿de quién son las iniciales que hay en la caja?

—De mi madre. Era su caja de pastillas hace mucho tiempo.

Jen se volvió a la Sra. Hartlet.

—¿No me digan que yo también era sospechosa? —dijo la Sra. Hartlet abriendo mucho ojos.

—Nos llamó la atención la carta que recibió —admitió Jen—. Encontré un trozo de la misma que decía que usted debía conseguir el trabajo pasara lo que pasara.

—Oh, era de mi sobrino de veintiún años —dijo riéndose la Sra. Hartlet—. Siempre me acosa para que intente algo nuevo. Pensó que a lo mejor yo no me esforzaría la máximo en las entrevistas. Cree que debo prosperar en mi carrera, pero también cree que estoy acostumbrada a hacer las cosas a mi manera. Demasiado gallina, es como lo dice él. Simplemente me estaba instando a que hiciera todo lo posible por conseguir el trabajo.

—Bueno, y ¿qué hay de los guantes en su habitación? —dijo Jen riéndose.

La Sra. Hartlet no pareció comprender por qué los guantes pudieran dar la impresión de que era culpable.

—Afuera hace demasiado calor para llevar guantes —dijo Jen— y si lleva guantes, no deja huellas dactilares. Por eso pensé...

—Esos son mis guantes de la suerte —le interrumpió riéndose la Sra. Hartlet—. Eran de mi abuela. Los llevo a todos los acontecimientos importantes. Algo así como una moneda de la suerte o una pata de conejo.

—¡Vaya, cualquier cosa puede parecer sospechosa! —se quejó Jen.

—Supongo que por eso yo también parecía sospechoso —preguntó con sequedad el Sr. Crane.

—No teníamos intención de escuchar a escondidas —dijo Jen cruzando los dedos detrás de la espalda.

—Como ya les dije —dijo bruscamente—, estaba hablando con mi esposa.

Jen y Zeke se miraron y se encogieron de hombros. Sabían que de nada serviría mencionar todas las cosas sospechosas que le habían oído decir y, de todas maneras, ya habían descubierto a la culpable.

En ese momento, sonó el teléfono. La llamada era para la Sra. Harlet que fue al mostrador de la recepción para hablar.

—Estoy tan aliviada de que todo se haya esclarecido. Temía que hubiera un duende haciendo de las suyas en la pensión —dijo tía Bee dando un suspiro.

—Sería magnífico tener un duende —dijo Jen.

—Magnífico hasta que te veas frente a una cara fantasmagórica —dijo Zeke para tomarle el pelo.

La Sra. Hartlet regresó con una expresión de asombro en la cara.

—¿Qué sucede? —tía Bee se levantó de un salto.

—Nada —dijo la Sra. Hartlet, moviendo la cabeza—. ¡Me han dado el trabajo! El rector de los colegios dijo que no necesitaban hacer más entrevistas porque el comité de contratación ya había acordado que me iban a ofrecer el puesto—. Y miró como disculpándose al Sr. Crane y al Dr. Bowles—: Lo siento.

—¿Que lo siente? —dijo el Dr. Bowles riéndose—. No sea tonta. Estoy seguro de que será una magnífica directora aquí en Mystic. Si quiere que le diga la verdad, no estoy seguro de que mi corazón hubiera podido aguantar la agitación que hay por aquí.

Alguien comenzó a reírse en el rincón. No era una

risa familiar. Jen se quedó con la boca abierta. El Sr. Crane se estaba riendo tan fuerte que le salían lágrimas de los ojos. Al principio Jen pensó que se había puesto histérico por la decepción.

—Estoy bien —dijo el Sr. Crane entre risas y lágrimas—. ¡Estoy tan aliviado!

—¿Aliviado? —repitieron todos al unísono.

El Sr. Crane estiró los brazos por encima de la cabeza, dando la impresión de estar más relajado de lo que Jen jamás hubiera pensado. Y comenzó a explicar:

—Me encanta mi trabajo. Soy el director de una pequeña escuela de secundaria donde tenemos estudiantes magníficos. Pero mi esposa quería mudarse y pensó que yo debía tener un puesto más elevado. La quiero muchísimo, pero a veces es un poco avasalladora —dijo echándose a reír de nuevo.

Jen apenas podía creer lo bueno que parecía cuando sonreía. El Sr. Crane se dirigió a los gemelos:

—Realmente estaba hablando con mi esposa cuando ustedes me escucharon accidentalmente. Le dije lo buenos que eran los otros candidatos y que no podría competir con ellos en las entrevistas. Todo les debe haber parecido bastante siniestro a ustedes dos.

—¡La verdad es que sí! —dijeron Jen y Zeke sonriendo burlonamente.

—Siento tanto haber estado bastante, este... malhumorado. No me comporto bien cuando estoy bajo una gran presión.

—Oh —dijo la Sra. Hartlet que todavía estaba sonriendo—. Creo que debo decirles todo lo demás que me dijeron por teléfono. El director me pidió hablar con la Sra. Adams. Cuando le dije que se había marchado, me dijo algo muy extraño. Comentó que la Sra. Adams había falsificado algunas de sus cartas de recomendación y que, en efecto, ¡había sido despedida de su último empleo! Esa debe ser la razón por la que estaba tan desesperada por ahuyentar a todos del trabajo. Sabía que no tenía ninguna oportunidad de conseguirlo de otro modo.

Entonces Slinky entró sin que la vieran, agitando orgullosamente su suave y esponjosa cola. En vez de subirse sobre Woofer, que dormía a los pies de los hermanos, se arrastró debajo del sofá y salió con un cordón entre sus dientes.

Jen se agachó, agarró el cordel y lo jaló. Entonces apareció el resto del objeto: ¡El cronómetro del Sr. Mitchell!

—¡Otro misterio resuelto! —dijo Zeke echándose a reír.

Sobre la autora

Laura E. Williams ha escrito más de veinticinco libros para niños. Sus obras más recientes son *ABC Kids* (*Los chicos del ABC*) y *The Executioner's Daughter* (*La hija del verdugo*). En su tiempo libre, disfruta coleccionando sellos, pintando y tomando fotografías.

A Laura Williams le encantan las historias de misterio. ¡Y aprender cómo obtener huellas dactilares le vendrá muy bien cuando tenga que averiguar cuál de sus dos hijos abrió la caja de galletas nueva!

Faro de Mystic

Ficha de sospechosos

Nombre:

Motivo:

Pistas:

Faro de Mystic

Ficha de sospechosos

Nombre:

Motivo:

Pistas: